COLLECTION FOLIO

Nathacha Appanah

Tropique de la violence

Gallimard

Nathacha Appanah est romancière et traductrice. Elle a publié plusieurs romans, récompensés de prix littéraires et traduits dans de nombreux pays : *Les Rochers de Poudre d'Or*, *Blue Bay Palace*, *La noce d'Anna*, *Le dernier frère*, *En attendant demain*. Son sixième livre, *Tropique de la violence*, a reçu de nombreux prix dont le prix Femina des lycéens et le prix du Roman France Télévisions. Elle est également l'auteur d'un recueil de nouvelles, *Petit éloge des fantômes*, paru dans la collection Folio 2 euros (nº 6179).

— Là ? demandai-je.
— Là, me répondit Gatzo. C'est un beau pays.

Henri Bosco, *L'enfant et la rivière*

Marie

Il faut me croire. De là où je vous parle, les mensonges et les faux-semblants ne servent à rien. Quand je regarde le fond de la mer, je vois des hommes et des femmes nager avec des dugongs et des cœlacanthes, je vois des rêves accrochés aux algues et des bébés dormir au creux des bénitiers. De là où je vous parle, ce pays ressemble à une poussière incandescente et je sais qu'il suffira d'un rien pour qu'il s'embrase.

Je ne me souviens pas de toute ma vie car ici ne subsistent que le bord des choses et le bruit de ce qui n'est plus.

Je me souviens de ça.

J'ai vingt-trois ans et le train arrive, bleu et sale. Je quitte la vallée de mon enfance où j'ai été une petite chose faible et perdue, écrasée par les montagnes. Je ne peux plus voir le noir de l'hiver dégouliner sur les maisons et les visages, je ne supporte plus l'odeur moisie dans l'air dès le matin, je ne supporte plus ma mère qui perd la tête, qui parle tout le temps et qui écoute Barbara à longueur de journée.

J'ai vingt-quatre ans et je suis toujours aussi faible et perdue. Je termine mes études d'infirmière dans une grande ville. Je vis dans un vaste appartement avec trois autres étudiants et, certains soirs, le bruit, la lumière et les conversations me font l'effet d'un trou noir qui m'engloutit. J'ai plusieurs amants, je baise comme une femme que je ne connais pas et qui me dégoûte un peu. Je prends, je quitte, je reprends et personne ne dit rien. Je choisis de travailler la nuit, à l'hôpital. Parfois, je m'allonge sur les lits défaits, encore chauds, et j'essaie d'imaginer ce que c'est d'être quelqu'un d'autre.

J'ai vingt-six ans et je rencontre Chamsidine qui est infirmier comme moi. Quand il s'adresse à moi pour la première fois, il m'arrive quelque chose d'étrange. Mon cœur, cet organe qui était solidement attaché dans ma poitrine, descend dans mon plexus et il bat désormais ici, au milieu de moi, au centre de moi. Chamsidine est large d'épaules et peut porter un homme adulte dans les bras sans grimacer. Quand il sourit, je dois respirer profondément par le ventre pour ne pas défaillir. Quand il rit de son grand rire en cascade, je sens mon sexe s'ouvrir comme une fleur et je serre les jambes. Toutes les infirmières se sont un peu entichées de ce grand Noir qui vient d'une île appelée Mayotte mais je ne sais pas pourquoi c'est moi qu'il choisit, un soir de garde. Je suis timide devant cet homme.

J'ai vingt-six ans et je tombe. Il me parle comme s'il m'avait attendue depuis longtemps. Il me raconte des histoires et des légendes de chez lui, de ce qui lui est arrivé quand il était petit, la fois où il avait fait ceci, quand sa mère lui disait cela et, moi, j'écoute en silence, émerveillée. J'ai l'impression que Cham a vécu sur une île aux enfants, verdoyante, fertile, une île où l'on joue du matin au soir, où les tantes, les cousines et les sœurs sont autant de mères bienveillantes. Quand je me lève le matin, dans la ville bruyante, je pense à ce pays-là.

J'ai vingt-sept ans et je me marie. Je ne me souviens pas de ma robe mais je me souviens que ma mère attend avec moi devant la mairie. Le vent est si fort qu'il a renversé les bacs de buis disposés dans la cour pavée de la mairie. Chamsidine est en retard. Ma mère me dit *Fais attention Marie, tous les hommes sont les mêmes*. Cham arrive alors en courant, en riant.

J'ai vingt-huit ans et je vis à Mayotte, une île française nichée dans le canal du Mozambique. Nous louons le premier étage d'une maison dans la commune de Passamainti, à quelques kilomètres du chef-lieu, Mamoudzou. Je travaille comme infirmière de nuit au CHR. Chamsidine, lui, est en poste à l'hôpital de Dzaoudzi. Chaque matin quand je termine mon service à six heures, quelle qu'ait été ma nuit, quelle qu'ait été la dureté de cette garde-là, je marche lentement, légère, si légère, dans le matin. Je descends la côte et je sais que la petite fille m'attend. Elle est rousse de poussière, ses pieds et ses mains sont épais comme ceux des ouvriers, ses cheveux sales et gris. Elle m'attend en souriant. Avant de quitter le service, j'ai récupéré à la cafétéria ce qui traîne, un paquet de biscuits, une orange ou une pomme. Entre elle et moi, c'est une étrange relation qui s'est nouée depuis que je travaille ici. Je m'arrête devant elle, elle me sourit, et je lui donne ce que j'ai à donner. Elle ne me dit jamais rien, ni bonjour, ni merci, ni au revoir. Elle tend rapidement la main, je sens qu'elle ne veut pas donner l'impression de faire la manche, d'ailleurs elle me regarde, moi, dans les yeux et jamais ce que je pose dans sa paume. Elle referme aussitôt les doigts et cache sa main derrière son dos. Son sourire s'élargit un peu. C'est un petit bonus à la mesure du petit rien que je lui donne. Je ne sais pas si elle comprend le français. Je ne lui ai jamais donné mon nom et je ne lui ai jamais demandé le sien. Peut-être qu'elle vit dans la case en tôle que j'aperçois entre les arbres maigres, sur la colline. Peut-être qu'elle vit cachée dans les bois, comme beaucoup de familles de clandestins. Peut-être que ce que je lui donne va être partagé à plusieurs. Peut-être. Mais je ne pense pas beaucoup à ces choses-là. Je fais ce que je fais, cela ne me coûte rien, cela ne l'oblige pas à être reconnaissante, cela dure trente secondes à peine, je continue ma route et j'oublie la petite fille.

Je ralentis devant la foule bigarrée qui attend l'ouverture des bureaux de la préfecture. Les conversations semblent légères, le soleil est encore timide. Le drapeau bleu blanc rouge flotte haut. Devant la grille fermée, il est encore temps d'espérer décrocher un ticket qui permette de voir un agent et, enfin, expliquer son cas, sa vie, le pourquoi du comment, déposer son dossier de demande de permis de séjour, réclamer un récépissé, s'enquérir d'une carte de séjour, espérer un renouvellement, une écoute, un sursis, un sésame.

De l'autre côté du trottoir, quasiment en face, il y a l'autre foule bigarrée, celle du dispensaire. Cent tickets sont distribués par jour et certaines personnes attendent depuis quatre heures du matin. Ici aussi, c'est encore calme. Quand je passe, les deux groupes se touchent presque, je suis au milieu, je me demande combien d'entre eux, à droite ou à gauche, sont arrivés en kwassas kwassas, ces embarcations de fortune dans lesquelles s'entassent des clandestins venus des autres îles des Comores.

Je me souviens de ça : je me faufile discrètement entre les deux groupes comme je me faufilerais entre deux lames tranchantes de couteau et, une fois de l'autre côté, je ne peux m'empêcher de respirer profondément, comme soulagée.

Je marche encore jusqu'au débarcadère ; en chemin j'achète des bananes, des piments, des tomates. Je respire l'odeur de ce pays que j'affectionne, je regarde le fond de l'eau, j'admire les femmes. J'aime observer les enfants qui viennent plonger dans la rade. Ils prennent leur élan sur la jetée de béton, leurs jambes noires et maigres comme des bâtons filant à vive allure. Arrivés au bout, ils se jettent dans l'océan en remontant les genoux, ouvrant les bras, criant leur joie.

Quand accoste la barge, ce bateau bleu et blanc qui fait la traversée entre Petite-Terre et Grande-Terre, je repère Cham de loin, chaque jour plus beau, chaque jour plus irréel dans sa manière d'être à moi.

Nous rentrons chez nous, nous dormons, nous nous aimons et nous nous réveillons au mitan de la journée. Quand je ne travaille pas, j'aime regarder la nuit de notre balcon. Elle est bleue par endroits, noire à d'autres. Les étoiles sont agglutinées par centaines dans le ciel. J'aime entendre le battement des ailes des roussettes. Sur le plateau de la mer, des points jaunes bougent telles des lucioles. Ce sont les lumières des barques de pêcheurs qui sortent avec une lampe à huile accrochée au mât pour attirer les poissons.

J'ai un tel désir pour ce pays, un désir de tout prendre, tout avaler, gorgée de mer après gorgée de mer, bouchée de ciel après bouchée de ciel.

J'ai vingt-neuf ans et il faut me croire. Chaque jour monte l'attente, chaque jour gonfle l'espoir d'avoir un enfant. J'égrène les mois avec des rêves, des rires et des câlins. Les comptines remontent de mon enfance comme par magie, *Tourne tourne petit moulin frappent frappent petites mains*, et ma tête est une calebasse remplie de choses qui semblent à portée de main et qui pourtant se refusent à moi. Il y a tant d'enfants ici, tant de femmes enceintes, tous ces bébés dans tous ces bras, pourquoi pas dans les miens ? Tous ces bébés nés sans même qu'on les désire, alors que, moi, je prie, je supplie. Quand vient le sang chaud dans ma culotte chaque mois, je pleure et je maudis toutes ces mères que je vois à l'hôpital qui ne connaissent rien à rien, toutes ces clandestines venues accoucher sur cette île française pour des papiers et je me retiens de leur demander *Mais tu le veux vraiment ce bébé ou tu veux juste venir à Mayotte et avoir des papiers ?* Je change, j'enfle mais il n'y a que de la mauvaise graisse en moi, ma tête tourne et mes paroles virent à l'aigre comme du lait. Le matin, tous ces miséreux qui attendent leurs papiers et tous les autres qui attendent des soins médicaux m'agacent, ils sont trop nombreux, ils sont trop bruyants, trop ceci, trop cela. Il faut me croire. Je deviens folle, je ne suis plus moi-même. Je titube.

J'ai trente ans et je ne fais que cela : attendre et pleurer.

Un jour, à l'aube, alors que je suis sur le point de terminer mon service à l'hôpital, le sang arrive. La veille j'avais calculé, six jours de retard et ma tête, oh ma tête si vous saviez ce qu'il y avait dans ma tête, j'avais un bébé, j'avais un prénom, j'avais des histoires, *Vole vole petit oiseau nage nage poisson dans l'eau*, j'avais une belle cérémonie, j'étais une maman avec des vêtements traditionnels mahorais et toute la famille de Cham me vénérait pour ce bébé métis qui aurait un bon djinn pour le veiller toute sa vie.

Je marche avec attention, je me fais légère, je fais des prières, je vais à la petite chapelle à Dzaoudzi et j'allume trois cierges. Je prie tellement fort que mes oreilles bourdonnent. Mais le sang épais et gluant dégouline quand même entre mes jambes à l'aube et je rentre chez moi, je ne prends pas de paquets de biscuits, ni de pomme, ni d'orange et, arrivée au virage, je la vois mais je ne la vois pas vraiment, je ne sens que ce flot entre mes jambes et je voudrais coudre ce sexe avec du gros fil noir pour qu'il ne coule plus. Je passe sans un regard devant la petite fille et j'entends *Hé! hé!* Je me retourne et elle me sourit, les deux mains écartées comme ça, vides.

Il faut me croire, je suis devenue folle. Je ramasse un bâton et je me mets à courir vers elle en hurlant je ne sais plus quoi, peut-être *Casse-toi*, oui peut-être c'est ça, et c'est comme un chien galeux que je chasse. Elle détale en vitesse, je ne peux pas la suivre en haut de la côte, entre buissons et déchets. Je lui lance le bâton dans le dos. Elle hurle et moi aussi.

J'ai trente et un ans et Cham m'a quittée. Il a déjà une autre femme, une Comorienne qu'il a rencontrée je ne sais où. La pute. Elle s'habille avec des vêtements colorés que j'appelle des costumes de clown, elle porte le masque de santal sur le visage et ça lui fait un visage de clown. C'est une pute de clown. Elle a des fesses rebondies, une peau jeune et noire. *Tu veux du noir maintenant ? Tu te fais des petites clandestines ? Ma mère avait raison, vous les hommes vous êtes tous les mêmes. C'est bien de baiser des nègres ?* Voilà ce que je demande à Cham tandis qu'entre mes jambes coule le sang rouge et épais et que sa main atterrit sur ma joue. À ce moment-là, il faut me croire, je voudrais qu'il me frappe encore et encore, que sorte enfin de moi cette femme qui crie de telles horreurs !

Parfois, la nuit, quand je suis seule dans la maison, je voudrais pouvoir entendre à nouveau le bruit humide que faisaient nos corps quand ils se frottaient l'un à l'autre, je voudrais écouter le battement des ailes des roussettes dehors et m'endormir, bercée par le léger ronflement de Cham. Je voudrais regarder les pales du ventilateur tourner tandis que nous faisons l'amour. Quand je suis seule et que je suis à nouveau faible et perdue, je fais semblant de serrer le corps de Cham, de respirer son odeur, de lécher sa sueur. Je lave de ma langue les mots qui blessent, je gobe entière la colère, je frotte avec mon corps la surface de notre amour pour qu'il soit de nouveau lisse et velouté.

Mais Cham ne m'aime plus, il me regarde avec des yeux éteints et une grimace sur les lèvres. Il demande le divorce mais je le lui refuse. Il part des jours et des jours puis il m'annonce qu'il s'est marié religieusement et je l'insulte encore mais je ne veux pas divorcer. J'ai perdu toute raison, je suis habitée par ma colère, ma frustration, mon aigreur et personne ne peut me sauver. Il m'annonce que sa pute de clown attend un enfant. Je déteste ce pays.

J'ai bientôt trente-trois ans. Il m'arrive de croiser la pute de Cham qui pousse un landau dans les rues de Mamoudzou. Elle n'a pas de papiers et parfois me vient l'envie de la dénoncer comme faisaient les gens pendant la guerre. Je suppose qu'il suffirait que je téléphone à la PAF*[1] et, ensuite, je pourrais attendre tranquillement devant chez elle pour voir comment ils la chassent cette chienne, comment ils la dénichent et la mettent dans leur jeep, *Bye bye pute de clown, retour à Anjouan, le ticket aller est gratuit.* Mais ce landau rouge cerise m'arrête car, il n'y a pas si longtemps, j'ai moi aussi rêvé d'un landau comme ça à promener dans les rues de Mamoudzou. Alors, je passe mon chemin.

J'ai bientôt trente-trois ans et ce soir-là, le 3 mai, je travaille. Il pleut à verse depuis plusieurs jours, il n'y a pas grand monde et je suis dans la salle des infirmières, seule, à lire. Je n'ai plus d'amis, je ne vois plus ceux qui me connaissaient quand j'étais avec Cham. De toute façon, je n'ai plus envie de ces choses-là, les soirées au clair de lune, les bavardages sur

1. Voir, pour les termes (ou sigle) suivis d'un astérisque, le glossaire de la page 185.

le pays, sur la misère, sur la décrépitude. Il n'y a que Patrick, l'aide-soignant, qui m'adresse encore la parole. Parfois quand je le vois avec sa chemise à fleurs, son ventre en goutte d'huile, quand je surprends son regard de chasseur sur les jeunes femmes noires, j'essaie d'imaginer le Patrick qui est arrivé à Mayotte il y a quinze ans avec femme et enfants. Avait-il cette odeur de cigarette, de sueur et d'eau de Cologne sur lui, avait-il déjà fermé son cœur et sa tête, imaginait-il passer ses vendredis soir à la discothèque Ninga, assis comme un nabab, entouré de jeunes Comoriennes et Malgaches qui se parfument le sexe au déodorant? Avait-il au moins essayé de résister ou avait-il tout envoyé balader quand il avait compris le pouvoir qu'a un homme blanc ici? Mais je ne le juge pas, ce pays nous broie, ce pays fait de nous des êtres malfaisants, ce pays nous enferme entre ses tenailles et nous ne pouvons plus partir. Le téléphone sonne et on m'annonce que les pompiers ont réceptionné deux kwassas sanitaires. Je pose mon livre, je prends une grande inspiration. Ce sont ceux que je crains le plus. Les kwassas sanitaires transportent des malades, des vieux, des femmes enceintes, des enfants handicapés, des blessés graves, des fous, des brûlés. Ils font la traversée entre Anjouan et Mayotte pour se faire soigner. J'ai vu des femmes avec des cancers tellement avancés qu'ils n'existent plus, en métropole, que dans les livres de médecine. J'ai vu des grands brûlés à la peau toute pourrie, des bébés morts depuis plusieurs jours mais toujours dans les bras de leurs mères, des hommes aux jambes sectionnées par des requins.

J'ai bientôt trente-trois ans, je ferme mon livre et peut-être que ce soir-là, j'oublie de fermer mon cœur. Quand je descends à l'accueil, il y a déjà une dizaine de personnes, toutes trempées jusqu'aux os. Plusieurs femmes très enceintes, une vieille unijambiste, un adolescent qui sautille sur place en s'accrochant à un pompier et elle, une très belle jeune fille avec un bébé dans les bras. Je la remarque tout de suite, elle a seize ou dix-sept ans, elle a l'air en bonne santé, son regard est celui d'une bête effrayée, il passe de droite à gauche, de gauche à droite sans jamais s'arrêter. Les pompiers conduisent les femmes enceintes à la maternité et, pour une fois, je ne pense à rien, je ne leur souhaite pas du malheur. Le pompier auquel s'accroche l'adolescent vient vers moi et me dit *Il est fou.* Le jeune homme se met alors à rire et ça me rappelle le rire de Cham. Quelque chose de fort et de doux et de contagieux. Je lui indique l'étage de la psychiatrie. Le garçon continue de s'esclaffer et son rire se mêle au bruit de la pluie. Le pompier me demande de m'occuper des autres en attendant l'arrivée des policiers. Il s'éloigne rapidement mais j'entends longtemps les éclats de rire du jeune homme.

La vieille femme unijambiste se met alors debout, s'appuie sur un long bâton qui lui sert de béquille et se dirige vers la sortie. Elle me jette un regard en biais mais je garde les mains dans les poches de ma blouse, je ne l'arrête pas, je ne l'aide pas, je la regarde sautiller vers la porte et disparaître dans la nuit de Mamoudzou, sous la pluie. Elle a réussi, elle est en France. Je fais signe à la jeune fille de s'approcher et nous prenons le box numéro 2. Son bébé est emmailloté dans un tissu traditionnel rouge et jaune. Il ne pleure pas, il ne bouge pas. Peut-être est-il mort ? Dehors, la pluie tombe, ça fait un bruit de mitraillettes.

Avec dextérité, la jeune fille sort le bébé de son emmaillotage et je réalise que celui-ci est bandé comme une momie. Peut-être est-il brûlé ? Elle défait les bandelettes qui recouvrent même une partie de son visage. C'est un bébé de quelques jours à peine, il respire, il n'est pas brûlé, il a l'air parfait. Il *est* parfait. Je commence à parler mais la mère pose le doigt sur ses lèvres en faisant *Chut*. Elle ne souhaite pas qu'on le réveille. Elle me montre l'œil du bébé. Je ne comprends pas, je ne vois rien, le bébé dort. Elle s'impatiente, elle me montre ses deux yeux puis les miens puis ceux du bébé. *Ah, votre bébé est aveugle ?* Elle secoue vigoureusement la tête et soudain l'enfant se met à gigoter, il fait claquer ses lèvres une fois deux fois comme s'il cherchait la tétée, et la jeune femme me le tend comme on tendrait quelque chose qui vous fait peur et vous dégoûte à la fois. Je ne sais pas pourquoi je le prends ce bébé qu'on me donne et celui-ci s'étire dans mes bras et c'est merveilleux ce petit corps chaud qui se love contre moi.

Le petit ouvre les yeux. La mère recule contre le lit et, moi, ce que je vois est incroyable, je n'en ai jamais vu de ma vie, juste appris le terme exact au cours de mes études. Le bébé a un œil noir et un œil vert. Il est atteint d'hétérochromie, une anomalie génétique absolument bénigne. Le vert de son œil est comme le vert des feuilles de l'arbre à pain, non du manguier, oh, je ne sais plus, c'est ce vert incroyable qu'ont parfois les arbres de ce pays, pendant l'hiver austral. Il me regarde avec ce regard bicolore, je lui parle, je lui dis *Bonjour joli bébé*. La mère me dit alors en faisant de grands signes vers le petit garçon *Lui bébé du djinn. Lui porter malheur avec son œil. Lui porter malheur.*

Je le pose calmement sur le lit, je remonte les barreaux et je dis à la maman que je vais chercher un biberon. Quand je tourne le dos, je l'entends dire *Toi l'aimer, toi le prendre*. Je ne m'arrête pas, je laisse ces mots me poursuivre comme une traînée merveilleuse d'étoiles dans la nuit mahoraise. Pendant ces quelques minutes où je vais dans la nurserie pour préparer un biberon, mes pensées s'ouvrent comme les fleurs le matin, larges et heureuses; je me vois, dans ma maison, avec un bébé, un lit à barreaux, un tapis de jeux, des livres à lire, *Petit moulin a bien tourné petites mains ont bien frappé petit oiseau a bien volé petit poisson a bien nagé*. J'ai bientôt trente-trois ans et enfin, j'ai un enfant.

J'ai trente-quatre ans et il faut me croire quand je dis que je suis la maman d'un garçon appelé Moïse. La belle jeune fille n'était plus là quand je suis revenue avec le biberon de lait. Je me souviens de ce que j'ai fait. J'ai nourri le petit, je l'ai lavé, je l'ai habillé avec un body décoré de petits éléphants gris, je l'ai couché dans un berceau à la nurserie, je lui ai mis un petit bracelet bleu au poignet et j'ai marqué dessus M. J'ai appelé Cham. Il a décroché à la première sonnerie et il m'a écoutée attentivement, en silence, comme moi, avant, j'écoutais son enfance.

Il faut me croire. Là d'où je vous parle, les mensonges ne servent à rien. En échange du divorce, je lui ai demandé de reconnaître cet enfant, de lui donner son nom et de dire à tout le monde que c'était un fils qu'il avait eu avec une clandestine et que, moi, son ex-femme, j'acceptais de l'élever. Un faux certificat de reconnaissance de paternité contre un vrai divorce. Il a accepté.

Que personne ne vienne me juger. J'ai profité de toutes les failles de ce pays, de toutes les tares de cette île, de tous ces yeux fermés. Et c'était si facile, croyez-moi. Combien d'hommes engrossent des Comoriennes, des Malgaches et sont obligés de reconnaître les enfants ? Combien d'hommes sont des escroqueurs professionnels en reconnaissance paternelle ? Combien d'enfants sont abandonnés par leurs parents ? Combien de parents renient leurs enfants sur les kwassas quand la PAF les intercepte ? Combien d'enfants, sans parents, sans papiers, jouent toute la journée au soleil sans que personne ne leur demande quoi que ce soit ?

Que personne ne vienne me juger. Je connais des flics, des avocats, des juges, des journalistes qui arrivent dans ce pays avec leurs grandes idées et qui plient bien vite, trop vite, devant toutes ces belles femmes qui attendent aux coins des rues, dans les cafés, dans les discothèques. Quand Cham est venu me donner le certificat, j'ai failli lui dire *Regarde-nous Cham. Regarde comme nous sommes heureux maintenant.*

J'ai quarante-quatre ans et Moïse, mon fils, me dit que son vœu le plus cher serait de goûter à la neige. Comme c'est étrange. Il me demande si c'est un bon vœu et je réponds oui. Je devrais lui raconter comment, moi aussi, j'aimais quand la neige tombait dans ma vallée enfoncée et que, lentement, tout devenait blanc et silencieux et féerique. Je devrais lui raconter comment je mangeais la neige à pleines mains mais je ne le fais pas, ces mots restent dans ma gorge et m'écorchent comme des arêtes de poisson. Moïse est un garçon dont le rire est discret, rare, et dont la grâce m'émeut chaque jour. Quand il marche, quand il court, quand il fait ses devoirs, quand il joue, quand il dort. D'où ça vient ça, de sa mère ou de son père ? L'avais-je perçue, cette grâce, ce jour-là quand sa mère me l'a tendu et qu'il s'est étiré dans mes bras, tout chaud, tout petit ? Un jour il faudra que je lui parle de ce moment-là mais je n'ai pas envie de penser à cela, pas tout de suite. J'ai envie de vivre cette vie-là qui est douce et que je bois à petites gorgées pour ne pas la gaspiller. Moïse va à l'école privée de Pamandzi, là où il n'y a que des métropolitains ou des enfants de Mahorais ayant vécu longtemps en France. Parfois il arrive qu'on lui fasse une remarque sur son œil mais Moïse sait prononcer correctement « hétérochromie ». Il en a même fait, l'année dernière, un exposé devant sa classe. Il ne demande jamais rien sur ses parents biologiques. J'aime lui dire qu'il est né dans mon cœur, que j'ai traversé les continents et les mers pour le retrouver et que je l'ai attendu longtemps. Cela lui plaît. Moïse finit toujours ses repas, ne laisse rien sur l'assiette, et je crois que ça vient de loin, ça, cette vérité qu'il porte en lui et dont il n'a pas tout à fait conscience. Cette vérité qui le fait racler son assiette, manger tout d'une pomme, pépins et trognon, ne jamais réclamer, se faire léger, se faire oublier.

Je travaille désormais de jour à l'hôpital et je vis en Petite-Terre sur la colline de Pamandzi d'où je vois l'aéroport, le lagon et, la nuit, les lumières des barques de pêcheurs. Dans notre cour, il y a un frangipanier, un arbre d'ylang-ylang, un alamanda, un manguier, un papayer, des bananiers. Pas loin de nous, il y a des cases en tôle, des bangas*, où vivent des clandestins, et nous fermons à double tour notre maison, mettons des grilles en fer aux fenêtres et des cadenas à notre portail. Nous avons maintenant un chien que nous avons baptisé Bosco car le livre préféré de Moïse est *L'enfant et la rivière*. Bosco est un bâtard que j'ai recueilli près de l'hôpital. Il est noir avec des vilaines taches grises sur le corps, de loin on dirait qu'il a la gale, mais non, ce ne sont que des taches. Je me suis demandé s'il était, lui aussi, arrivé par kwassa, avec son maître, des chèvres et des poulets. Le chien est resté près de l'hôpital plusieurs jours et finalement je l'ai adopté. Cham vit à La Réunion avec sa femme, qui a désormais des papiers et trois autres enfants. Pendant les grandes vacances, je l'aperçois parfois mais il détourne vite la tête et je pense que je lui ai fait trop de mal pour qu'il se souvienne encore de la jeune femme que j'ai été et qu'il avait épousée. Je n'ai pas d'amis, je vis en vase clos avec mon fils, ça me suffit. Quand je prends la barge en fin d'après-midi, je regarde à nouveau le fond de l'eau, les femmes sur le bateau, les îlots et la colline de Kaweni où le bidonville s'étend comme une pieuvre. Je vois ces petits errer sans but, jouant sur la place du marché, et je pense aux femmes enceintes arrivées le même jour que Moïse, sous la pluie, et aussi à toutes celles arrivées avant, après. La maternité de Mamoudzou est devenue la plus grande de France. Qu'ont-elles fait de leurs petits ? Les ont-elles laissés à un grand frère, un oncle, une tante ? Que deviendront ces enfants à l'adolescence ? Je ne sais pas.

Dehors, une roussette change d'arbre et le battement de ses ailes me rappelle une autre vie. Je souris. Pendant que je range et que Moïse construit, m'a-t-il dit, une ville entière avec ses Lego, nous écoutons un peu de musique, je mets Barbara comme ma mère, autrefois. C'est étrange comme ça nous rattrape ces choses-là. Quand vient *L'aigle noir*, nous attendons la partie que nous préférons de cette chanson et là, en chœur, moi dans la cuisine, lui dans le salon, nous entonnons à voix haute *Dis l'oiseau, oh dis, emmène-moi. Retournons au pays d'autrefois, comme avant, dans mes rêves d'enfant, pour cueillir en tremblant des étoiles, des étoiles. Comme avant, dans mes rêves d'enfant, comme avant, sur un nuage blanc, comme avant, allumer le soleil, être faiseur de pluies et faire des merveilles.*

Ce soir, nous relisons *L'enfant et la rivière* que Moïse aime passionnément. Les premières fois, nous le lisions avec le Robert imagé pour qu'il puisse se rendre compte à quoi ressemblent des roseaux, un canard, une alose, une aubépine. Moïse est souvent Pascalet, Moïse est parfois la rivière. Ce soir, il est allongé sur le dos, le corps fluet et immobile, les yeux à demi fermés. Sa main gauche est posée, paume au ciel, sur mon ventre. Il écoute, il connaît chaque phrase, chaque virgule, il connaît ce livre par cœur. Ce soir entend-il comment ma voix tremble et s'accroche aux mots quand je lui lis ce passage ?

« Quel pays ? Et d'où venait Gatzo dans l'île ? Qui était-il ? Je me le demandais sans oser l'interroger, lui qui ne demandait jamais rien. Car moi aussi j'étais pour Gatzo un mystère. Ma présence dans l'île, mon apparition imprévue auraient dû l'intriguer. Et cependant il ne manifestait nulle curiosité de ces miracles, dont j'étais, moi-même, le premier stupéfait.

» Car, par moments, je me disais que je faisais un rêve délicieux et terrifiant...

» Pouvais-je me trouver, après tant d'aventures, seul avec un enfant dont je ne savais que le nom, sur cette barque ? Cette barque cachée, perdue au milieu des roseaux, sur un bras mort de la rivière ?... »

Je me souviens de ça. Moïse s'est endormi. Je le regarde et me vient tout à coup cette pensée extraordinaire qu'il me ressemble. Oui, là, à cet endroit où la veilleuse pose sa lumière, quelque chose dans le tombé de la paupière, le dessin du sourcil, la naissance du nez. Je m'approche de lui et je lui dis *Bonne nuit mon fils*.

J'ai quarante-six ans et j'essaie d'écrire une lettre mais je n'y arrive pas. Je suis penchée, le haut du corps presque posé sur ce papier, comme si j'espérais que ce ne soit pas juste ma main qui forme les mots, mais ma chair entière. Moïse ne va pas bien. Il fait des cauchemars et il est colérique. Il ne veut plus aller à l'école, je le retrouve parfois sous l'abri en tôle, au débarcadère de Dzaoudzi, attendant que je rentre du travail. Il faudrait que je lui raconte ce soir-là, cette nuit où l'île fut inondée de pluie, ce jour béni où il est venu jusqu'à moi. Je n'arrive pas à le lui dire en face, je le regarde et je ne peux pas sortir les mots de ma gorge. Mais écrire, je n'y arrive pas non plus. La nuit, la pluie, le kwassa sanitaire arrivé sur la plage de Bandrakouni dans le Sud, le bébé bandé. Comment lui raconter tout cela ?

J'ai quarante-sept ans et je me souviens de ce mal de tête, constant. Je sais que je devrais aller voir un médecin mais je ne le fais pas. J'ai mal et je me dis que j'ai mérité cela. Moïse rentre tard et quand j'entends Bosco faire le bruit qu'il lui réserve, entre l'aboiement et le cri humain, mes épaules se relâchent enfin, je respire un peu. Parfois, je pense à la maison désormais vide de mon enfance et me vient cette idée saugrenue que j'y serais bien, là-bas, maintenant. J'échapperais à la chaleur qui me vrille la tête, j'échapperais à ce pays que je sens parfois bouillir de rage, j'emmènerais Moïse loin d'ici. Finalement j'ai trouvé le courage de lui parler. De lui raconter son histoire. J'ai commencé comme ça *C'était le 3 mai, il pleuvait, ta mère est arrivée par un kwassa sur la plage de Bandrakouni.* Je pensais que ça lui suffirait mais non, chaque jour il veut que je parle à nouveau, que je raconte encore et encore, plus lentement, que je me rappelle des couleurs, des formes, des mots exacts mais, moi, j'ai tellement mal à la tête et je ne veux plus ressasser la même chose et Moïse se met en colère, il me traite de menteuse, il veut aller sur la plage de Bandrakouni, mais comment lui dire que ce n'est qu'une plage, qu'il n'y a rien qui l'attend là-bas. Moïse, mon fils, m'appelle désormais

Marie et non plus Mam. Il me dit que je l'ai élevé comme un Blanc, que je l'ai empêché de vivre sa « vraie vie », que son destin n'était pas celui-là. Il sèche l'école, il traîne, il réclame tout le temps de l'argent, il m'en veut. Je le vois dans son œil vert.

J'ai quarante-sept ans et j'écoute à sa porte, il dort. Je frappe *Il est l'heure de se lever Moïse. Tu vas être en retard à l'école.*

Je repense à la maison dans la vallée. Il fait froid là-bas. Je porterais un épais peignoir et de grosses chaussettes. Il y aurait ce silence si parfaitement épais et moelleux de la montagne blanche. Qu'est-ce qu'on sait de nos cœurs et de ces choses de notre enfance qui nous rattrapent par la cheville et nous retournent brusquement ? Je pense au bébé à l'œil vert et à la façon dont sa mère, cette jeune femme qui avait l'air d'une enfant elle-même, l'avait bandé. Qu'est-ce que je sais du cœur de Moïse ? Qu'est-ce que je sais de ces choses invisibles et puissantes qui lui enserrent la cheville ?

Je l'entends se réveiller, peut-être qu'aujourd'hui il ira au collège, il ne portera pas cette casquette qui lui barre la moitié du visage, peut-être qu'aujourd'hui il ne traînera pas avec ce garçon sale qu'il a rencontré il y a quelque temps, peut-être qu'aujourd'hui il portera fièrement son œil vert comme on porte un talisman ? Peut-être qu'aujourd'hui il m'appellera à nouveau Mam ? Je pose sur le comptoir de la cuisine son bol préféré sur lequel est marqué son prénom, la douleur est un poignard chauffé à blanc qui fouille ma tête, j'ouvre la boîte hermétique où je garde les céréales, j'entends Moïse s'approcher dans le couloir et dehors, tout à coup, je vois ma mère. Elle se tient près de la fenêtre et me regarde avec des yeux infiniment tristes. Je comprends instantanément.

Il faut me croire. De là où je vous parle, les mensonges ne servent à rien. Je n'ai pas senti l'artère éclater dans mon cerveau, je n'ai pas senti le dernier spasme de mon cœur. Il faut me croire quand je dis que je n'ai pas eu mal quand ma tête a heurté le sol et que mon bras s'est tordu sous mon corps dans un angle bizarre. Il faut me croire quand je dis que je suis restée debout à côté de moi-même et que le pire est à venir.

Moïse

La cellule est grande. Elle est carrée. Sur le mur, face à la porte, court un banc de béton. Sur ce même mur, en hauteur, il y a une ouverture rectangulaire qui pourrait peut-être laisser passer un chat. Ou un chien très maigre comme Bosco.

Je suis assis sur le banc. Si je lève la tête, je peux voir un bout de ciel qui est si bleu et si immobile que je me demande si ce n'est pas un tableau. Ça a un nom, ces choses-là, ces tableaux qui sont peints pour ressembler à la vraie vie, je ne me rappelle plus, si Marie était là, elle aurait...

Mes mains recommencent à trembler, je n'aurais pas dû penser à Marie. J'essaie de les caler entre mes cuisses, de les serrer sous mes aisselles, de croiser mes doigts comme si je priais de toutes mes forces mais ça ne s'arrête pas.

Je m'appelle Moïse, j'ai quinze ans et, à l'aube, j'ai tué. Je voudrais qu'on sache que j'ai à peine appuyé sur la détente, si Marie était là, je le lui aurais dit, à elle, j'aurais dit comme ça *J'ai à peine appuyé Mam et le coup est parti* et elle m'aurait cru, elle, mais ça fait plus d'une année que Marie n'est plus là. Je suis seul et j'ai tué Bruce, à l'aube, dans les bois. Bruce et son cœur de sauvage et son cerveau de malade et sa langue de serpent, Bruce qui me, qui m'avait...

Je l'ai tué.

Il s'est écroulé avec ce *han* sorti de sa gorge comme un souffle étranglé et puis, dans les bois, pendant de longues minutes, il n'y a rien eu d'autre que le matin qui se levait et cette lumière rose qui traversait les branches et qui tombait telles des lames sur Bruce. Le pistolet était chaud, dur et lourd dans ma main. Je l'ai serré fort et j'ai senti son énergie grimper sur mon bras comme des milliers d'aiguilles brûlantes.

Je me suis assis par terre. Entre Bruce et moi, un tapis de feuilles sèches d'eucalyptus. Je l'ai imaginé à côté de son propre corps, mi-mort mi-vivant, se tenant comme il avait l'habitude de se tenir quand il avait fumé du chimique, la tête penchée sur le côté, les mains dans les cheveux, les doigts tordant rapidement ses boucles crépues, ne pouvant arrêter ce tic, se demandant ce qu'il fout là, allongé au milieu des eucalyptus, avec cette tache sur son tee-shirt. Me voit-il, ce Bruce mi-mort mi-vivant? Commence-t-il à oublier qui il est ou, au contraire, tout est clair, tout est net? Est-ce qu'il voit sa vie étalée devant lui, est-ce qu'il regrette ou est-ce que sa rage est intacte ?

Cette île, Bruce, nous a transformés en chiens. Toi qui avais choisi le prénom d'un superhéros, Bruce Wayne, m'avais-tu expliqué, en sautillant sur place comme si tu avais des ressorts aux pieds. Bruce Wayne, l'homme chauve-souris, parce que tu aimais les chauves-souris, enfin c'est ce que tu disais car moi je ne t'ai jamais vu aimer autre chose que fumer et dominer les autres.

Cette île a fait de moi un assassin. Tu te souviens, tu me disais *Pas de pitié Mo*, et regarde, Bruce, je n'en ai pas eu pour toi, ce matin.

J'ai glissé l'arme dans mon sac et j'ai pensé à tout ce que ce sac contenait de ma vie d'avant, de ma vie quand je vivais dans une maison en briques rectangulaires et un peu roses, quand la nuit était pour les chiens les roussettes les voleurs et que moi je n'étais pas encore un chien un voleur un assassin mais juste un garçon avec un œil vert et un œil noir. J'ai pensé que cette arme lourde et noire côtoyait mon livre, le foulard de Marie, j'ai imaginé que ce pistolet noir était peut-être collé à sa carte d'identité, peut-être même que le bout du flingue avec lequel j'ai tué était pointé sur la photo de Marie en haut à droite de sa carte. Je me suis dit que, si maintenant je plongeais ma tête dans mon sac comme j'aime à le faire parce que j'imagine que les choses d'avant ont une odeur et que cette odeur, contrairement aux hommes et aux chiens, est éternelle, parce que parfois il ne me reste que ce bobard d'odeur éternelle pour m'empêcher de devenir fou, je me suis dit que, si maintenant je plongeais ma tête dans le sac, il n'y aurait que la poudre le fer le sang et que voilà, c'était ça ma vie maintenant.

Je me suis levé et j'ai laissé Bruce dans les bois. J'ai marché encore et encore, j'ai gardé la tête baissée, je n'ai pas regardé les rues au petit matin, je n'ai pas regardé le ciel, je n'ai pas regardé la mer, j'ai marché jusqu'ici, j'ai attendu devant la grille et le flic m'a ouvert. J'ai dit *J'ai tué un garçon, là-haut, dans les bois, au lac Dziani. Le pistolet est dans mon sac*, et le flic m'a regardé comme s'il avait vu un fantôme. Au poste, j'ai donné des indications précises et ils m'ont mis ici. Dans la cellule.

Les bords du banc sont rugueux et griffent l'arrière de mes genoux. Ce n'est pas grand-chose ces petites égratignures mais aujourd'hui, pour moi qui ai connu les nuits dehors, les bagarres à mains nues, les courses à travers les bois, le feu d'un couteau sur mon visage, les orteils grignotés par les rats, la faim, la solitude, la peur, la vraie je veux dire, celle qui vous fait vous faire dessus ; pour moi aujourd'hui, qui vient de tuer un être humain, ces petites égratignures sont insupportables.

Je me déplace dans l'espoir de trouver un endroit où le bord du banc serait lisse mais non, c'est comme ça tout le long. À croire que tous les gens qui m'ont précédé ont rogné de leurs ongles ce banc de béton. Leurs ongles débordant de colère et de désespoir.

Je me lève et je vais m'asseoir par terre. Peut-être que ça m'a quitté tout ça, le désespoir, la colère, la violence, ces sentiments qui rongent de l'intérieur et qui font gratter un banc de ciment, balancer des grands coups de pied dans la porte, tuer, ou frapper sa tête contre un mur comme l'a fait le type qui était ici tout à l'heure.

Il était déjà là quand je suis entré. Il n'a rien dit, il s'est simplement décalé jusqu'au bout du banc, en gardant la tête baissée. Son pantalon a fait un petit bruit de frottement contre le béton. Il sentait l'herbe, la terre, la pluie, le vent, comme s'il était la nature même, c'était très étrange. Moi je ne m'étais pas lavé depuis je ne sais combien de jours et j'avais tué ce matin. Est-ce qu'on a une odeur particulière quand on devient un assassin ? Je ne l'ai pas regardé davantage, à quoi ça sert de toute façon que je l'observe un peu, que je remarque ce qu'il portait, comment il le portait, la forme de son crâne ou quoi. Je ne lui ai pas dit bonjour je ne lui ai pas demandé qu'est-ce qui t'amène ici. À quoi ça sert de savoir d'où il venait, comment il s'appelle ou ce genre de choses. Peut-être que c'est mieux comme ça, ne plus parler, ne plus voir, ne plus savoir.

Je venais à peine de m'asseoir, de ressentir les premières morsures du banc, quand le type s'est levé. Il a commencé à avancer lentement mais vraiment lentement, il faisait un petit pas en glissant sa savate sur le sol, ramenait l'autre pour que les deux savates soient l'une à côté de l'autre puis il s'arrêtait, attendait je ne sais quoi, recommençait un autre petit pas glissé et de nouveau un arrêt. J'ai regardé avec fascination son étrange manège. Était-il fou ? Avait-il des visions comme celles que j'avais eues ces dernières semaines ? Quand il est arrivé au bout, il a disposé ses savates avec soin pour qu'elles soient bien alignées et, tout à coup, il s'est mis à cogner sa tête sur le mur à une vitesse incroyable. *Boum boum boum*. Ça m'a pris quelques secondes avant de réagir, c'est bête, mais je ne m'attendais pas du tout que le type fasse ça et, sur le moment, j'ai pensé que j'en avais plus rien à faire avec ce genre de misère mais je me suis levé quand même et j'ai tiré le type en arrière en appelant à l'aide.

Il est tombé mollement dans mes bras, un oiseau mort qu'il était devenu, sans se débattre, comme s'il n'attendait que ça. Ses vêtements étaient doux et fins et toute son odeur de terre a empli ma tête d'un seul coup. Deux flics sont arrivés et l'ont emmené en disant *Mognye** *! mognye ! Réveille-toi, mognye !*

Les verrous ont grincé, les loquets ont claqué, les clés ont tourné. Après un moment, une voiture a démarré dehors. Bientôt il serait à l'hôpital. Les mains fermes et savantes des médecins sur lui, les paroles réconfortantes d'une infirmière qui viendrait le voir régulièrement, le linge propre et sans odeur avec lequel on le revêtirait, la radio de son crâne, les draps blancs sur lesquels il serait allongé, les antidouleur, les antidépresseurs, les anti-la-mort, le sommeil dans lequel il tomberait lourdement, à bras ouverts. Ce délicieux répit qui durerait quelques jours avant le retour ici. Dans la cellule.

Le flic de ce matin revient. Sans mon sac.

— Ça va ?

Je ne réponds pas.

— Tu as faim ?

Je pense à ceux de dehors, le ventre vide, qui tournent autour des maisons, des baraques à grillades, qui deviennent fous au parfum bleu du poulet qui cuit, je pense à ceux qui se cachent à l'arrière des restaurants et des boulangeries et, de ceux-là, hier encore, je faisais partie.

— Je peux récupérer mon sac ?

— Pas encore. Tu ne veux rien manger ?

— Non. Je veux juste récupérer mon sac.

— Oui. Bientôt.

Sa voix est douce et grave, une voix d'adulte qui sait les choses, qui pourrait tout comprendre, tout réparer. J'ai tout à coup envie de pleurer. Je me demande s'il a ouvert mon livre, s'il a lu mon nom au dos de la couverture, s'il a remarqué les pages cornées et s'il a fait attention aux feuilles qui se détachent avec l'usure. Je voudrais lui dire que je ne suis pas qu'un assassin, que j'ai été un garçon qui lisait des livres, qui écoutait de la musique, qui était un as du Lego, je voudrais lui dire que je n'ai pas su lutter contre Bruce, que j'ai été lâche et bête, que la peur m'a paralysé pendant des mois. Je voudrais lui dire que ça, ce corps crade, ces chiffons qui me servent de vêtements, cette main qui a tenu le flingue...

J'entends soudain le *han* de Bruce. Ce bruit vient d'ici même, à côté de moi. Je me retourne mais il n'y a rien. Je ferme les yeux et je dis :

— J'ai à peine appuyé ce matin. Le coup est parti.

— Tu ne voulais pas le tuer? C'était un accident?

Je revois Bruce jaillir des eucalyptus comme une apparition du diable, je ne me suis même pas demandé comment il m'avait retrouvé, j'ai sorti le pistolet et c'est là qu'il m'a appelé *Mo ma chérie* avec ce sourire que je veux effacer car je sais ce qu'il a dans la tête, je me souviens comment il m'a, comment il m'avait...

— Dis-moi. C'était un accident?

— Non, je voulais le tuer.

Mes propres paroles tournent autour de moi comme de grands oiseaux aux ailes démesurées et il n'y a jamais rien eu de plus vrai dans ma vie.

— Bon. Tu seras présenté chez le juge cet après-midi ou demain.

— Mon sac.

— Ne pense pas à ça maintenant. Repose-toi, Moïse.

Ce prénom me fait sursauter et mes mains recommencent à trembler. Le flic s'en va mais je sais qu'il reste contre la porte qu'il vient de verrouiller.

Ça fait longtemps qu'on ne m'a pas appelé Moïse. Dehors, pour tous les garçons sauvages comme moi qui, la nuit, dans leurs songes, rêvent de leurs mamans, je suis Mo la Cicatrice. Ou ils disent Mo en faisant un geste rapide comme ça qui part du sourcil droit pour finir sur la joue. Dans mon dos, ils disent que je suis le fils du djinn et que je suis devenu fou. Certains croient que Mo c'est pour Mohammed mais je n'ai mis les pieds dans une mosquée que pour voler un bout de tapis, des savates ou pour manger les soirs de ramadan ou de l'Aïd.

Mon sac me manque et mes mains, malgré moi, tâtent de temps en temps le sol comme pour en retrouver les contours. Ce sac à dos de couleur marron appartenait à Marie. Elle le prenait pour aller travailler et le portait sur une seule épaule. Il est fait dans une sorte de tissu synthétique épais qui résiste à tout, à la boue, à la pluie et même au soleil de Mayotte qui fait craquer les dalles de béton et éclater le goudron. Chaque soir, je pose ma tête dessus comme sur un oreiller. Dans ce sac, il y a mon livre, *L'enfant et la rivière*, la carte d'identité française de Marie, un couteau que j'ai trouvé hier dans la cuisine de Stéphane, et un foulard avec des motifs bleus et verts qui appartenait à Marie et qu'elle aimait porter autour du cou les soirs où nous allions manger un poulet coco chez Nassuf. Elle laissait le sac marron à la maison alors et choisissait une pochette en toile, brodée de fils dorés et bleu vif. Pendant combien de temps encore vais-je me souvenir de cette pochette, de la façon dont les fils s'entrelaçaient pour former un motif en forme de goutte d'eau ?

Hier, j'ai rêvé de la maison. J'étais caché sur l'ancienne aire de jeux pour enfants, au début de la route Moya. Camouflée par des grands manguiers cette aire n'est pas visible de la route mais je m'en souvenais très bien. La terre y est bosselée et crevassée. Quand il pleut, le terrain se transforme en un champ de boue rouge et il faut des jours avant que toute l'eau ne s'évapore. Les manguiers sur cette aire ne donnent que des fruits aigres et filandreux et il suffit de quelques bouchées pour vous filer des crampes d'estomac et une diarrhée brûlante. L'été, les mangues tombent et pourrissent lentement. Les moustiques et les moucherons y pondent leurs œufs. Le soir, les rats les grignotent en couinant. Quand le soleil est haut, les chiens errants et maigres viennent dormir ici, à l'ombre du feuillage épais. Sur cette aire, il y a une table de ping-pong en béton. On peut encore deviner le marquage de la ligne du filet. Je n'ai jamais vu qui que ce soit jouer au ping-pong à Mayotte mais, comme disait Marie, ce n'est pas parce que tu ne l'as jamais vu que ça n'existe pas. Cette table m'a semblé un bon endroit pour dormir. En hauteur, à l'abri des rongeurs et des chiens, sur la surface fraîche et lisse. J'ai posé la tête sur mon sac et je me suis allongé. La nuit était silencieuse, épaisse et chaude. Elle se pressait contre moi et j'ai eu l'impression qu'elle pourrait m'avaler et que ce serait sans douleur et tout doucement.

J'ai sorti le couteau et j'ai fait quelques figures dans l'air comme si je pouvais découper la nuit en morceaux et porter ces morceaux à ma bouche. J'ai repensé aux soirées à la maison quand Marie mettait son disque de Barbara. La nuit restait dehors, à cette époque-là, la nuit était pour les chiens les roussettes les voleurs. J'ai formé les mots du bout de mes lèvres *Dis l'oiseau, oh dis, emmène-moi. Retournons au pays d'autrefois, comme avant, dans mes rêves d'enfant, pour cueillir en tremblant des étoiles, des étoiles. Comme avant, dans mes rêves d'enfant, comme avant, sur un nuage blanc, comme avant, allumer le soleil, être faiseur de pluies et faire des merveilles.* J'ai recommencé encore et encore jusqu'à ce que le sommeil me prenne.

J'ai rêvé que j'étais revenu à la maison. Mon corps était redevenu celui d'un enfant, chaud, élastique, doux. Mon visage était sans cicatrice. Il y avait de la musique, le soleil entrait en biais dans le salon et dessinait des formes sur le carrelage. C'était propre, ça sentait bon. Je jouais, je courais d'une pièce à l'autre, bondissant d'une lumière à l'autre, d'une chaleur à l'autre.

Je me demande pourquoi une partie de moi refuse d'accepter que c'est fini, ça, *à la maison*, les murs solides de béton, les rideaux colorés aux fenêtres, les toiles moustiquaires vaporeuses, le toit en tôle vert où la pluie dansait la sarbacane, le manguier aux fruits sucrés dans la cour, le parfum d'ylang-ylang à la tombée du jour, les repas chauds, *L'enfant et la rivière*, l'école, les jeux, les devoirs, les douches au Petit Marseillais, les chemises blanches en coton, les carrés de chocolat au goûter, la lettre X au scrabble, les biscuits Lu, *L'aigle noir*, les sommeils de plomb, les journées entières à ne penser qu'à jouer. Ça se cache où cette chose incassable? Est-ce dans cette partie mystérieuse appelée inconscience, ce mot que Marie m'avait appris quand elle m'avait parlé d'avant? Elle m'avait dit, Marie, elle avait dit comme ça, les mains jointes en prière *Tu as peut-être oublié mais c'est dans ton inconscience mon petit. L'inconscience n'oublie jamais.*

Je m'allonge sur le sol frais de la cellule qui me rappelle la table de ping-pong. Peut-être que je m'endors un peu, peut-être que je rêve encore de la nuit épaisse et infinie qu'on peut découper en morceaux et avaler. Peut-être que je chante encore *Dis l'oiseau, oh dis, emmène-moi...*

Bruce

Han.

Derrière Mo, il y a une femme qui pleure. Je dis *Hé derrière toi*, mais Mo fait rien, il fixe le sol à mes pieds. Dans ses mains il a toujours ce putain de flingue je sais pas où il a eu ça, ça doit être son copain Stéphane qui lui a refilé ce truc. Si ça se trouve c'est qu'un jouet, ça m'étonnerait pas de Mo, lâche comme il est. Je regarde la femme qui continue de pleurer et je lui dis *Casse-toi!* mais elle bouge pas, c'est comme si elle m'entendait pas. C'est qui celle-là encore? Mo a le chic pour s'attirer tous les muzungus*, ça doit être la façon qu'il a de bien parler le français avec ses monsieur madame s'il vous plaît. Va te faire enculer Mo.

Je suis là pour régler mes comptes. Dans ma poche j'ai un couteau et je sais ce que je dois faire. Approche ma chérie. J'ai pas peur de toi, de ton joujou de flingue, tu veux jouer aux durs mais tu n'y connais rien. Tu m'as humilié hier devant tout le monde, putain comment tu as pu me faire ça, tu sais que c'est moi qui dois gagner sur le ring, c'est moi qui gagne tous les mourengués*, je suis le plus fort, je suis le roi de Gaza.

Tu t'es tiré comme un voleur après et je savais que t'allais venir ici. Je t'attends depuis hier soir Mo. Tu te souviens quand tu m'avais parlé de cet endroit, comment ta mère, enfin celle que tu appelais ta mère, la muzungu qui est morte d'un coup, sans que personne ne la frappe, sans que personne ne lui fasse peur, c'est bien une mort de Blanc ça, une mort de riches qui ont des poubelles qui débordent. La bweni* elle est debout dans sa cuisine en train de préparer ton bol de céréales, tu entends un bruit *bang* et elle est morte. Cette femme elle t'emmenait ici, tu m'avais bien expliqué où et comment et pourquoi avec tes mots de gentil garçon qui a été à l'école et tu m'avais dit que c'était ton endroit préféré et crois-moi ce jour-là j'ai failli te tomber dessus et t'éclater comme une papaye et tout de toi, ton œil vert ton sang ta merde ta bave ton foutu sac tes couilles ta bite ton cœur, tout ça je voulais le voir par terre, sur mes mains et sur les murs.

Parce que tu crois que je suis né comme ça, moi, avec l'envie de taper, de mordre, de rentrer dedans, moi aussi je voudrais pouvoir dire avec une petite voix et le regard au loin quel est mon endroit préféré dans ce pays. Moi aussi je voudrais que quelqu'un me prépare un bol de céréales, putain des céréales je sais même pas le goût que ça a des céréales, tu crois que je n'aurais pas aimé qu'on m'emmène pique-niquer près du lac Dziani ou sur l'îlot de sable blanc là-bas, ou nager avec les dauphins. Voir mon propre pays, tu crois que j'aurais pas aimé ça, moi ?

J'aurais dû te virer de Gaza dès le premier jour, c'est ça qui m'a foutu dans la merde. La Teigne m'avait prévenu, il m'avait dit que te garder dans le quartier c'était pas bon pour les affaires. Il m'avait dit que t'étais taré et que tu finirais par tout foutre en l'air. J'aurais dû l'écouter ce bâtard. Allez, qu'on en finisse, approche Mo, je veux pas rester ici, moi, en Petite-Terre. La Teigne et Rico sont déjà à la barge et ils m'attendent.

Tu dis rien. Qu'est-ce que tu regardes comme ça par terre et qu'est-ce qu'elle a, elle, à chialer comme ça. Qu'est-ce qu'il y a sur le sol qui t'intéresse tant...

Merde.

Qu'est-ce que c'est, je comprends pas. Mo, qu'est-ce que tu as fait, dis-moi que c'est de la magie, dis-moi que c'est un truc que tu as appris parce que en vrai t'es l'enfant du djinn, en vrai tu as des pouvoirs et ton œil vert-là il marche encore, dis-moi Mo, allez je ne te ferai rien. Je range mon couteau, je n'ai plus de couteau, tiens regarde mes mains sont vides. Réponds !

Mo ne répond pas. Il s'assied par terre, il continue de regarder à mes pieds, là où il y a ce corps qui est mon corps mais qui est rouge et qui n'est plus le mien parce que moi j'aime bouger j'aime pas rester comme ça les yeux ouverts, les yeux jaunes, j'aime pas, il faut que je me réveille.

J'essaie de rentrer dans mon corps, je me penche vite, je veux sauter dans ma propre chair comme ça comme dans une flaque et que je sois éclaboussé de moi-même, c'est à moi ce corps, c'est moi là, par terre, et chaque fois que je crois que j'y suis presque arrivé je ressors aussi vite comme si j'étais aspiré à l'extérieur. J'essaie de courir, de m'enfuir et je traverse les bois, je traverse le lac mais, à un moment, il y a toujours cette force qui me tire jusqu'ici, là, aux pieds de Bruce. Non, à mes pieds puisque c'est moi, Bruce.

Je ne sais plus.

Qu'est-ce que je fais par terre, comme ça, comme si j'étais mort? Pourquoi la femme derrière toi me regarde tout à coup?

Tu vas me le payer, Mo la Cicatrice, tu m'entends, je vais t'éclater mais je ne peux pas m'approcher de toi, on dirait que dans mon dos il y a un élastique qui me ramène toujours ici, vers ce corps qui est mort mais qui pisse encore du sang.

C'est toi qui m'as tiré dessus Mo? J'ai envie de rire, je ne savais pas que les morts pouvaient rire. Ne crois pas que je suis naïf. Les garçons comme moi, on finit par crever plus vite que les autres, je le sais ça. Mais si on m'avait dit le jour où je t'ai vu pour la première fois, près de la barge, si on m'avait dit ce jour-là qu'un bâtard comme toi me tuerait j'aurais éclaté de rire. Hé, tu m'entends ou quoi?

Mo ne m'entend pas. Il range le pistolet dans son sac et se lève. La femme qui pleure me regarde un instant puis elle le suit. Je regarde par terre et tout à coup je n'en ai plus rien à foutre d'être vivant ou mort.

Olivier

Je l'entends murmurer, je colle mon oreille à la porte mais je n'arrive pas à comprendre ce qu'il dit, on dirait qu'il chante.

Je ne peux pas rester là indéfiniment. Je ne peux rien pour lui.

J'ai tué un garçon, là-haut, dans les bois, au lac Dziani. Le pistolet est dans mon sac.

C'est ce qu'il m'a dit ce matin à la grille, dans un français impeccable. Il était à peine sept heures du matin, il faisait déjà chaud et il serrait son sac contre sa poitrine en tremblant. J'ai regardé sa longue cicatrice. Ma joue droite a commencé à tressaillir mais, à part ça, je n'ai rien ressenti. Je n'étais pas surpris, c'est comme si j'avais déjà vécu ce moment-là dans une autre vie et que je savais qu'un jour ou l'autre il m'arriverait à nouveau la même chose.

J'ai juste pensé *Voilà, c'est maintenant.*

Je voulais aller voir par moi-même d'abord, je ne voulais pas que ça soit la panique tout de suite. J'ai dit aux deux autres collègues de mettre le jeune homme avec l'autre gars-là, celui qui n'a ni sa tête ni ses papiers et que les gars de la PAF n'ont pas voulu garder chez eux car « trop instable ». L'hôpital de Dzaoudzi n'a pas voulu le prendre non plus, le médecin de garde m'a dit *Ce n'est pas un asile ici, ramenez-le s'il se fait mal.* Il était une heure du matin, je n'avais pas d'autre choix que de le garder.

J'ai téléphoné aux pompiers et par chance je suis tombé sur Bacar qui, comme moi, préfère travailler la nuit quand on peut arrêter de réfléchir et se contenter de se souvenir. Il est venu me chercher rapidement avec un véhicule de premiers secours.

J'étais soulagé de voir que la boutique de Misba, en bas de la pente qui mène au lac, était fermée. Je ne voulais pas que commencent les palabres et les attroupements. Nous avons grimpé rapidement la côte en terre friable en soufflant comme les deux hommes proches de la retraite que nous sommes. Arrivé en haut, j'ai été surpris de ne pas voir le beau faré qui accueillait les randonneurs, proposait une grande planche explicative et un point de vue imprenable sur le lac. À la place, il restait quatre crochets en fer dans le sol.

— Où est passé le faré ?

— Il a été démonté par les clandestins. Tu dois retrouver des bouts par-ci par-là dans leurs cases.

Avant, nous aurions échangé des blagues sur les clandestins qui chopent tout ce qu'ils trouvent, un bout de bois qui traîne, une dalle de trottoir qui branle, la caillasse que la pluie entasse en bas de la descente, ton vieux slip, le mari de ta voisine.

Ce matin, nous avons peu parlé.

— Tu sais où le trouver?

Le petit m'avait donné des indications tellement précises qu'on aurait pu croire qu'il avait vécu ici toute sa vie.

— Oui.

Le lac me semblait plus vert que d'habitude, j'avais l'impression que nous étions des intrus dans un sanctuaire. Nos bottes faisaient trop de bruit, soulevaient trop de poussière, la lumière m'aveuglait, le vent sifflait dans mes oreilles. Mais j'ai continué à avancer en silence car je savais que ce n'était que mon imagination et qu'à partir de maintenant tout me paraîtrait plus foncé, plus douloureux, plus désespéré, plus lourd, plus bruyant.

Nous l'avons trouvé facilement et, pendant un moment, Bacar et moi sommes restés debout auprès de lui, en silence. Il avait des baskets neuves au pied, un bermuda kaki et son tee-shirt était noir de sang séché. Ses yeux écarquillés regardaient le ciel. C'était un gamin.

Il ne fallait pas qu'on traîne. Il fallait appeler le commandant qui lui-même appellerait le préfet. Il fallait appeler les renforts. Je voyais déjà les gros titres des journaux : « Le premier meurtre par arme à feu de Mayotte ».

J'ai regardé ce ciel si bleu et, entre les troncs

clairsemés, je pouvais voir le vert épais du lac. Autour de nous, il y avait des arbres à pain, des eucalyptus, des manguiers, des cocotiers. Le sol était fait de sable et de latérite mélangés. Ici, disent les Mahorais, vit un djinn puissant. Je me suis demandé s'il était là à côté de nous, tentait-il de nous dire quelque chose ? Était-il là ce matin, à l'aube, quand le coup est parti ?

Bacar fixait le visage du mort. Je ne pouvais pas dire s'il avait peur, s'il se sentait mal ou s'il était triste. Soudain il a dit :

— C'est Bruce.

— Bruce ? C'est qui Bruce ?

— C'est le chef de Gaza.

— Merde.

Le vent a sifflé dans les branches et nous nous sommes regardés.

Je ne sais pas qui a surnommé ainsi le quartier défavorisé de Kaweni, à la lisière de Mamoudzou, mais il a visé juste. Gaza c'est un bidonville, c'est un ghetto, un dépotoir, un gouffre, une favela, c'est un immense camp de clandestins à ciel ouvert, c'est une énorme poubelle fumante que l'on voit de loin. Gaza c'est un no man's land violent où les bandes de gamins shootés au chimique font la loi. Gaza c'est Cape Town, c'est Calcutta, c'est Rio. Gaza c'est Mayotte, Gaza c'est la France.

J'ai fermé les yeux. Peut-être avais-je l'espoir que tout cela ne se révèle un cauchemar. J'ai pensé *Voilà, ça va être la guerre à Mayotte.*

Depuis le temps que ça gonfle cette violence,

cette onde destructrice, cette énergie brûlante qui sort d'on ne sait où, tous ces morts dans le lagon qui vont se réveiller aujourd'hui et nous hurler à la face jusqu'à ce qu'on devienne fou. Depuis le temps qu'on prédit la guerre, qu'on guette le bruit des armes à feu et les cris des bêtes sauvages. Depuis le temps qu'il y a des articles, des reportages, des rapports, des missions, des visites, des pétitions, des pamphlets, des lois, des campagnes, des grèves, des élections, des manifestations, des émeutes, des promesses. Depuis le temps.

C'est l'effet papillon qui nous pète à la gueule.

Il m'est arrivé d'espérer, après quelque article paru dans un journal métropolitain à grande diffusion ou après une visite présidentielle bien médiatisée, que quelque chose bouge. Que quelqu'un, quelque part dans les équipes d'énarques qui suivent les ministres, parmi les historiens et les intellectuels qui lisent les journaux, comprenne vraiment de quoi il s'agit ici et trouve une solution. Je ne suis pas historien, je ne suis pas politicien, je ne suis ni un intellectuel ni un visionnaire, je ne suis qu'un flic et si je connaissais le moyen de guérir ce pays, je le dirais haut et fort.

Il m'est arrivé d'espérer quand il y a eu le petit Syrien échoué sur une plage turque. Je me suis dit que quelqu'un, quelque part, se souviendrait de cette île française et dirait qu'ici aussi les enfants meurent sur les plages. Je ne suis qu'un flic, moi, et j'en ai vu des petits corps baignés d'écume et j'en ai pris comme ça, dans les mains, tout doucement. Parfois, quand j'apprends qu'un kwassa kwassa s'est échoué dans le lagon, je sens un poids dans mes mains, comme si les petits corps ne m'avaient jamais quitté.

Pourtant, il n'y a jamais rien qui change et j'ai parfois l'impression de vivre dans une dimension parallèle où ce qui se passe ici ne traverse jamais l'océan et n'atteint jamais personne. Nous sommes seuls. D'en haut et de loin, c'est vrai que ce n'est qu'une poussière ici mais cette poussière existe, elle est quelque chose. Quelque chose avec son envers et son endroit, son soleil et son ombre, sa vérité et son mensonge. Les vies sur cette terre valent autant que toutes les vies sur les autres terres, n'est-ce pas ?

Oh, après tout, ce n'est peut-être qu'une vieille histoire, cent fois entendue, cent fois ressassée. L'histoire d'un pays qui brille de mille feux et que tout le monde veut rejoindre. Il y a des mots pour ça : eldorado, mirage, paradis, chimère, utopie, Lampedusa. C'est l'histoire de ces bateaux qu'on appelle ici kwassas kwassas, ailleurs barque ou pirogue ou navire, et qui existent depuis la nuit des temps pour faire traverser les hommes pour ou contre leur gré. C'est l'histoire de ces êtres humains qui se retrouvent sur ces bateaux et on leur a donné de ces noms à ces gens-là, depuis la nuit des temps : esclaves, engagés, pestiférés, bagnards, rapatriés, Juifs, boat people, réfugiés, sans-papiers, clandestins.

Mais qu'est-ce que je raconte, moi, je ne suis qu'un flic qui applique la loi française sur une île oubliée. Devant le corps de Bruce, chef de bande de Gaza, tyran, voleur, voyou, j'ai gardé les yeux fermés et j'ai prié.

Marie

Avant, pour me calmer, j'aimais compter les choses. N'importe quoi, le nombre de femmes sur la barge, les taxis qui attendent, les cocotiers sur le boulevard des Crabes. Avec l'ongle de mon pouce, je touchais les trois bandes intérieures de chaque doigt. Auriculaire 1 2 3; annulaire 4 5 6; majeur 7 8 9; index 10 11 12. Au besoin revenir à l'auriculaire : 13 14 15.

Je me souviens de ça, de ce ballet incessant et discret à l'intérieur de ma main, du sentiment d'apaisement que cela me procurait. Ça me manque mais je ne peux plus le faire. Je le vois, le garçon-là, celui que Moïse a tué, il essaie de faire quelque chose avec ses cheveux mais ça ne marche pas. De là où je vous parle, on croit qu'on a des doigts, des mains, des bras, un corps mais ce n'est pas tout à fait cela, c'est comme une image, un souvenir de nous-mêmes qui subsiste.

Je regarde Moïse sur le sol de la cellule. Il dort et rêve d'une île-volcan. Toute l'île est recouverte de cendres et, dans tout ce gris, il y a une case en tôle épargnée. À l'emplacement des fenêtres et des portes, il y a de larges bandes de tissus colorés aux motifs géométriques. Bleu et blanc pour les trois fenêtres, violet et blanc pour la porte. Motifs pois et triangles. À côté de la case il y a un arbre dont les feuilles sont aussi vertes que l'œil de Moïse. Un bébé pleure, sa mère crie. On ne voit pas la femme mais je la connais, c'est la même qui m'a tendu son enfant.

Moïse se réveille et me regarde. Avant, quand il faisait ça, je sursautais, j'essayais de lui faire signe, de faire tomber quelque chose, de foncer vers lui, mais maintenant je reste là, je ne fais rien. Il n'y a rien à faire.

Moïse se rendort. Il rêve de nouveau. Il est dans son lit, il a trois ou quatre ans et sa jambe s'est enroulée dans la moustiquaire. Il essaie de se dégager mais la moustiquaire prend vie, comme un serpent blanc et mousseux. Ça grimpe sur sa cuisse, serre sa taille, passe dans son dos, entre les omoplates, enserre le cou, remonte sur la nuque, la tête, apparaît sur le front, descend sur son œil vert. Moïse est paralysé, il hurle et dans son rêve j'apparais, je le prends dans mes bras et je dis *C'est fini mon petit, ce n'était qu'un vilain cauchemar.*

Je le sais, moi, maintenant, que ce n'était pas qu'un vilain cauchemar mais une résurgence de ce qu'il avait ressenti quand sa mère l'avait bandé serré comme une momie.

Parfois quand il dort comme ça, je m'approche de lui et je lui parle à l'oreille. Je lui dis combien je l'aime, combien il est courageux et combien je suis désolée de l'avoir abandonné. Je me dis que mes paroles de morte peuvent se mêler aux vapeurs de ses rêves et qu'en se réveillant pour de bon, tout à l'heure, il pourra peut-être s'en souvenir.

Moïse

Je pensais que le jour où je découvrirais la vérité sur ma naissance, quelque chose dans ma tête ferait *bam.* Que je tremblerais, que je me mettrais à réfléchir à toute vitesse, que toutes mes pensées se mettraient en bonne place comme un grand puzzle enfin résolu et que je deviendrais tout à coup un as de moi-même. Et qu'à partir de ce jour-là personne ne me la ferait plus, je saurais exactement qui je suis, ce que je vaux, ce dont je suis capable.

Foutaises.

Quand j'ai su la vérité, je me suis senti un moins que rien, une merde, un gosse qui a fait peur à sa propre mère quand il est sorti d'elle, un gosse qu'elle a donné au premier venu, comment appeler cela? J'étais en colère contre Marie et j'avais l'impression qu'elle me cachait quelque chose et je lui faisais répéter encore et encore et encore.

C'était le 3 mai, il pleuvait, ta mère est arrivée par un kwassa sur la plage de Bandrakouni. Ainsi commençait-elle chaque soir et je guettais l'erreur, parfois elle disait *kwassa kwassa*, parfois juste *kwassa* et ça me mettait en rogne, je ne sais pas pourquoi. Elle refusait de m'emmener sur la plage qui se trouve dans le sud de Grande-Terre et je ne comprenais pas son refus. Peut-être que je l'ai traitée de menteuse, de voleuse d'enfant. Peut-être.

À peu près à la même époque, j'ai rencontré La Teigne. La Teigne zonait près du collège le vendredi car il espérait que Moussa, qui était dans ma classe et qui était son « cousin », allait lui filer un billet. Moussa et moi on était amis, même si on ne parlait pas beaucoup. Il ne faisait pas de remarques sur mon œil vert, il ne me demandait pas pourquoi ma mère était blanche, il ne me demandait pas si j'étais un Africain adopté. Moussa aimait la musique locale, le mgodro, qu'il écoutait sur un vieil appareil à cassettes au son brouillé et je faisais semblant d'apprécier. J'aimais surtout quand Moussa se levait et commençait à danser, les jambes fléchies, les fesses en arrière. Il tournait en rond, comme ça, avec des mouvements saccadés. À chaque changement de rythme de la musique, il ouvrait grand les yeux comme en transe et, ensuite, il éclatait de rire. Les parents de Moussa avaient fait des études d'économie à Poitiers, en métropole, et il était convenu qu'après son bac Moussa ferait de même, à Poitiers également. Chez lui, c'était comme chez moi, nous buvions de l'Oasis et mangions des pains au lait tartinés de Nutella. La Teigne venait souvent le vendredi et il attendait sous un arbre à pain en contrebas de la route qui menait au collège. Il semblait se camoufler dans l'ombre, comme un margouillat. Quand on passait près de l'arbre, il se montrait d'un coup. La Teigne parlait un français approximatif mélangé à du shimaore. Moussa lui filait un ou deux euros ; s'il n'avait rien sur lui, il se tournait vers moi et je fouillais mes poches. La Teigne partait alors sans se retourner, la tête relevée, les épaules en arrière. Moussa m'a raconté que La Teigne, dont le vrai nom était Mahmad, était un cousin éloigné. Les parents de Moussa n'aimaient pas qu'il fréquente La Teigne car ce dernier était un clandestin. Ils craignaient que la police découvre leur lointaine parenté et leur demande de recueillir La Teigne. Moussa me disait *Nous avons plein de cousins et de tantes et d'oncles comme ça, à Mayotte, surtout en Grande-Terre. Ils viennent d'Anjouan ou de Grande Comore et mes parents disent que, si tu donnes à un, il va falloir nourrir un village entier.*

Ce mot-là, *clandestin*, ne m'avait pas laissé indifférent. Si Marie ne m'avait pas recueilli, c'est ce que j'aurais été, non ? Un autre La Teigne, en short, les pieds sales dans de vieilles savates, le même tee-shirt depuis des semaines. Un autre La Teigne, à traîner et à faire la manche. Au fil des semaines, c'est moi qui lui donnais des pièces et même un billet quand j'en avais ; je lui payais un burger frites coca au Maoré Burger ; on allait voir les avions décoller à Pamandzi. Moussa ne nous accompagnait plus, prétextant je ne sais quoi. J'aimais être avec La Teigne, ce garçon maigre qui sentait la sueur et le fer, qui ne disait presque rien, et qui marchait du matin au soir. Ses pieds étaient épais, larges, les orteils démesurés. Le soir il reprenait la barge et dormait dehors. Il n'était jamais allé à l'école. Quand il voulait se laver, il plongeait du ponton de Mamoudzou. Quand il voulait manger, il allait chercher des fruits. Il me fascinait, j'imaginais qu'il était mon frère, mon cousin et qu'on serait tous les deux des enfants sauvages, à courir, à manger des fruits sauvages, à se baigner dans les rivières. Quand on se séparait à Dzaoudzi j'avais l'impression qu'il partait pour la Vie, la Vraie Vie, et que moi je rentrais dans une maison de mensonges, que je jouais à l'infini un rôle dans une pièce de théâtre que Marie avait écrite pour nous.

Moi : Bonsoir.

Marie : Bonsoir mon chéri. As-tu passé une bonne journée ?

Moi : Oui. J'ai rencontré un clandestin aujourd'hui.

Marie : C'est terrible ces histoires de clandestins. Veux-tu dîner ? Il y a des pâtes au jambon.

Je n'en voulais plus de cette vie protégée, de cette vie de Blanc, de ces vêtements de Blanc, de cette musique blanche qui ne transporte nulle part et de ces livres qui parlent de roseaux et de saules. Je voulais transpirer une sueur d'homme noir, je voulais manger du piment et du manioc comme avant je mangeais des petits Lu et de la confiture, je voulais des tam-tams et des cris, je ne voulais pas être un muzungu, un étranger. Je voulais appartenir à un endroit, connaître mes vrais parents, avoir des cousins, des tantes et des oncles. Je voulais parler une langue qui fait rouler les *r* et chuinter les *s*.

Quand je repense à cela, j'ai envie de me taper la tête contre le mur *boum boum boum* comme le type à l'odeur de terre.

Combien de temps aurait duré cette crise ? Quelques jours, quelques semaines ? Quand j'aurais traversé le bras de mer avec la barge, quand La Teigne m'aurait révélé son vrai visage, quand j'aurais vu la Vraie Vie de Merde, quand j'aurais assez sué, quand j'aurais assez bouffé et chié du piment, alors je serais revenu tranquillement dans ma maison en dur, dans ma maison de Blanc.

Mais, un matin, Marie s'est effondrée *bang* sur le sol de la cuisine. Je n'ai pas crié, je n'ai pas pleuré, je me suis accroupi près d'elle. J'ai remarqué que son oreille saignait. Elle avait les yeux écarquillés, comme si elle avait vu un fantôme juste avant de tomber et ça lui faisait un visage différent. Dans ma tête, les pensées volaient de gauche à droite de droite à gauche et chaque pensée me disait de faire quelque chose : il faut mettre le sachet de céréales dans la boîte à l'abri des fourmis ; ranger le lait sinon il va tourner, recoller le bol cassé, nettoyer le plan de travail, il faut réveiller Marie, aller à l'école, manger quelque chose avant d'aller à l'école, vérifier que les fenêtres soient bien closes, il faut fermer la porte à double tour, bien abaisser le loquet, donner à manger à Bosco et lui laisser de l'eau, bien pincer le cadenas jusqu'à entendre le petit *clac*, secouer la chaîne pour vérifier qu'elle tienne bien, il faut y aller maintenant, c'est l'heure.

Dehors, il y avait tous les bruits du matin, les enfants qui partent à l'école en bavardant, les taxis qui klaxonnent, le voisin qui fait coulisser sa grille d'entrée. J'ai eu l'impression que si je ne sortais pas, moi aussi, si je ne me présentais pas dehors, au jour, au matin, si je ne répondais pas présent, la vie continuerait sans moi et que je resterais comme ça, accroupi à côté du corps de Marie, pendant le reste de ma vie.

Alors je suis allé à l'école, je ne sais pas ce que j'y ai fait, à qui j'ai adressé la parole, je ne suis pas rentré déjeuner, je suis allé voir les avions décoller à l'aéroport et j'ai continué à marcher jusqu'à ce que mes pas me ramènent à la maison. La voisine est sortie à ce moment-là et elle m'a dit que Bosco n'avait cessé d'aboyer depuis ce matin. Elle avait le cou et le visage rouges et elle a mis ses mains sur ses oreilles quand elle a dit le mot aboyer. J'ai haussé les épaules et je suis entré vite dans la cour. Bosco est venu vers moi, se frottant contre mes mollets, enfonçant sa tête entre mes jambes. Il a émis plusieurs sons plaintifs *iiii iiii iiii* et je me suis mis à pleurer.

Je ne sais pas pourquoi je n'ai pas appelé la

police, l'hôpital ou Moussa ou même la voisine. J'avais quatorze ans, j'étais seul, j'avais peur et, même si toutes ces raisons ne suffisent pas, c'est tout ce que j'ai.

Dans la nuit, l'odeur s'est épaissie, se nourrissant de la pénombre ou des esprits je ne sais pas. Il y avait des bruits provenant de la cuisine, des frottements, des froissements et des couinements. Je me suis enfermé dans ma chambre avec Bosco. Le chien est allé rapidement se cacher sous mon lit, je l'entendais respirer et, parfois, il sortait de sa cachette, s'approchait de la porte et se mettait à grogner en montrant les dents. C'était des heures étranges où tout semblait s'effondrer autour de moi, je ne savais plus qui j'étais vraiment, je ne savais plus où était la réalité et où commençait le cauchemar dans lequel Marie était morte et moi seul au monde.

Le lendemain matin, j'ai fui. J'ai fermé la maison, j'ai pris la barge avec Bosco et de l'autre côté, sur le quai de Mamoudzou, j'ai attendu La Teigne.

Bruce

Y a que toi qui parles et tu parles bien ah ça oui tu mets des mots bien propres, bien ordonnés, des mots bien français, bien blancs. Regarde-toi maintenant. Ça t'a servi à quoi si c'est pour finir ici ?

Je te regarde et je te déteste comme quand j'étais vivant. J'entends tous tes mots, même quand tu as la bouche close, les yeux fermés, je les entends et moi aussi je vais raconter.

La Teigne m'avait parlé de toi, il m'avait dit qu'il avait rencontré un muzungu noir, mais il croyait que t'étais un Africain, un vrai de vrai de nègre mais de ceux qui sont habillés en pantalon et en chemise et qui parlent français, pas de ceux qui meurent dans les caniveaux au Rwanda ou au Congo ou en Somalie. Il disait que tu le suivais partout comme un chien, que tu mettais la main à la poche sans réfléchir et que tu t'appelais Mo et que tu avais un œil bizarre. *Bizarre*, c'est bien le mot qu'il a utilisé ce bâtard.

Je peux te le dire maintenant, on s'est fait

un film La Teigne, Rico et moi. On s'est dit qu'on allait t'embarquer, te donner un truc à fumer et ensuite te kidnapper et demander du fric à ta mère et à ton père africains qui parlent français et qui vont sûrement bosser dans leurs Nissan cash cash noires aux vitres fumées. On allait te choper à la sortie du collège. *Attention à mon cousin* a dit La Teigne. *Mais va te faire foutre avec ton cousin* je lui ai fait. On allait t'enfermer dans la banga en haut sur la colline et on t'aurait ligoté bien serré pour que tu bouges pas. Combien tu coûtes toi, Moïse ? C'est ton vrai nom ça, Mo-ïse, un nom où il faut se faire mal aux lèvres quand on le dit, Mo-ïse. Tout le monde a un prix, chaque chose sur terre a un prix, n'importe quoi, dis, le banc-là, il a un prix, le flic de tout à l'heure, il a un prix, toi aussi tu as un prix et on s'est dit qu'on va le trouver ton prix en t'étudiant bien. La Teigne était dessus, il avait appris que tu vivais seul avec ta mère, ton prix avait augmenté mon cher Mo-ïse, tu étais le chéri de ta maman, elle allait payer gros sous gros pognon money money money mais...

T'es venu à nous, ma petite chérie. T'attendais avec ton chien sur le parking du marché, comment t'as fait pour avoir un chien aussi laid je sais pas, et on t'observait depuis un bon bout de temps, on est chez nous ici, c'est notre territoire.

On t'a regardé toute la journée tu sais. Si tu savais le nombre de choses qu'on apprend d'une personne rien qu'à l'observer tranquillement !

Tu as attendu à l'ombre, tu ne supportes pas le soleil, ta maman t'a protégé toute ta vie hein, crème solaire et tout et tout. Tu n'as pas enlevé une seconde cette foutue casquette avec NY dessus. C'est quoi ça NY? Un groupe de musique? Un magasin? T'es allé te promener dans le marché plusieurs fois, tu es revenu avec un sac et quelques bananes que tu as mangées à l'ombre. Tu en as donné à ton chien pourri, tu lui as donné à manger avec tes doigts, putain, c'est dégoûtant. Tu as bu deux bouteilles d'eau, tu es allé pisser au Caribou Café et tu as pris là-bas un pain au chocolat. T'es remonté jusqu'à la librairie et tu as regardé la vitrine longtemps en basculant ta tête à droite à gauche, je sais pas ce que tu faisais. Tu es revenu sur le parking, tu as attendu encore et ensuite tu es allé acheter un pain fourré au poulet que tu as mangé à moitié et, merde, tu as donné l'autre moitié à ton chien. J'ai su alors quel genre de gars t'étais. Le genre aveugle à la misère, qui va en vacances, qui a la clim dans sa chambre, qui a les poubelles qui débordent, le genre qui n'a jamais connu la faim, qui ne sait pas d'où il vient, le genre qui a oublié qu'il est noir. Si t'avais été près de moi, je t'aurais éclaté la gueule. L'après-midi, tu as traîné encore, un moment j'ai cru que t'allais reprendre la barge mais tu as changé d'avis, tu as acheté un autre pain au chocolat, mais quand est-ce que t'en auras assez de bouffer, et tu es allé t'asseoir. Dans l'après-midi, les flics sont arrivés, à deux dans la voiture comme d'habitude les pédés, ils sont descendus et y avait des gosses-là qui traînaient autour du marché, autour des voitures et ils ont tous disparu, *pouf*. Toi, t'es resté accroupi à caresser ton chien, à attendre. T'as pas peur des keufs, toi. Un vrai muzungu, dis-moi. Commençait à y avoir du monde, les bureaux fermaient, le marché aussi et j'ai donné le signal. La Teigne est descendu, je le suivais et, ha, quand tu as vu La Teigne je croyais que tu allais lui sauter dans les bras ou lui faire un câlin quelque chose comme ça. C'est là que j'ai vu ton œil pour la première fois et j'ai eu envie de foutre un coup de pied au cul de La Teigne. Comment il a fait pour pas remarquer que t'avais un œil vert ! Putain ! L'œil du djinn !

Tu vois, Mo, faut pas croire tout ce que tu vois, faut pas croire que je valais rien. Va pas croire toutes ces conneries sur les mineurs isolés comme disent les gens des associations et des ONG et des comités et des secours et des croix, ils comprennent jamais rien ces gens-là.

Je suis né ici, moi. De tous les gars, je suis le seul vrai Mahorais, j'ai mes papiers, demande-moi lequel, j'ai tout, acte de naissance, carte d'identité, j'ai même un passeport République française. Chez moi, on faisait nos prières à la mosquée et on allait mettre des bouteilles d'eau de Cologne sur la pierre des djinns à Longoni. Mon père m'avait raconté qu'une femme possédée par un djinn accouche toujours d'enfants étranges. Ils sont très poilus ou très grands ou ils ont des yeux verts. C'est un grand cadeau mais ça peut être une grande malédiction pour celui qui ne sait pas s'en servir. Tu vois, moi, j'y crois à ces choses-là, je regarde le ciel pour voir si les chauves-souris ne volent pas trop bas, je regarde la mer pour voir si elle n'est pas devenue brune, je regarde la couleur des yeux des autres et s'ils ont beaucoup de poils sur les bras. Ces croyances se transmettent de père en fils et c'est comme ça que mon père vit en moi et aussi le père de mon père et mes ancêtres, les premiers, les esclaves. Je n'ai pas honte de dire que je suis un descendant d'esclaves. J'passe pas mon temps à chialer comme toi, à me demander pourquoi moi, pourquoi c'est comme ça, qu'est-ce que j'ai fait.

J'ai tiré La Teigne vers l'arrière et je t'ai demandé *Qu'est-ce que tu veux ?* Ton chien a commencé à grogner et j'ai dû faire un effort pour ne pas lui filer un coup de pied dans la gueule. Tu as répondu *Et toi t'es qui ?*

Ha ha. Espèce de bâtard.

La Teigne a commencé à parler moitié français moitié shimaore, c'était du grand n'importe quoi. J'ai ordonné à La Teigne de se calmer. Puis je t'ai répondu *Je m'appelle Bruce et je suis le chef de Gaza.* Tu m'as regardé avec ton œil noir, ton œil vert et mon cœur, je te le dis, qu'est-ce que j'en ai à faire maintenant que je suis mort, a commencé à battre très fort. Dans ma tête les pensées se sont mises à tourner rapidement comme les pétards et je pouvais pas en attraper une, ça éclatait *paf paf paf*. Ton œil m'a embrouillé. Mes mains ont trouvé ma tête, mes doigts ont trouvé mes cheveux et j'ai commencé à tourner les boucles et ça me calmait. J'avais besoin de fumer pour mieux réfléchir. L'eau à la bouche rien que d'y penser. Besoin de fumer. Ce joint, je le voyais, il venait à moi au ralenti comme dans les films, je voudrais le bouffer entier tellement j'aime ça, mais non doucement, cette première taffe-là, là, doucement, *ssssh* ça fait quand j'aspire, *fouuu* ça fait quand je relâche. J'ai fouillé mes poches par habitude. Elles étaient vides comme d'habitude. Tu as dit *J'ai de l'argent.* La barge s'approchait. J'ai entendu au loin la sirène une fois deux fois.

J'ai de l'argent.

La sirène a retenti une troisième fois, ça m'a réveillé et j'ai dit *On bouge.*

Moïse

La Teigne était devant, Bosco et moi au milieu, Bruce fermait la marche. Je ne savais pas du tout ce que je faisais, où j'allais. J'avais attendu toute la journée et personne, pas une femme, pas un homme, pas un flic, ne m'avait demandé ce que je faisais là, avec un chien. J'étais fatigué et perdu mais je savais que je ne voulais pas retourner à la maison. Marie. Sur le sol. L'odeur. Les rongeurs. Les fourmis dans les céréales. Le lait aigre. Les bruits. Les hurlements de Bosco. Le vide de la nuit. Non.

Nous avons traversé la place du marché, les gens sortaient de partout et allaient dans tous les sens. Il y avait tout ce bruit qui résonnait dans ma tête, dans mon ventre. On a bifurqué à droite et nous avons marché sur un muret assez étroit qui séparait la route de la mangrove. Celle-ci poussait sur la terre ou le sable noir, je ne sais pas. Tout au long du muret, du côté de la mangrove, il y avait des sacs plastique, des vieilles chaussures, des chiffons, des couches usagées, des fils électriques de couleur. Le soleil se couchait et, dans ce jour qui devenait d'abord bleu-gris, puis tout à fait gris, j'ai commencé à me sentir oppressé. Je me sentais si vulnérable, si petit, j'avançais à tâtons dans ce clair-obscur en serrant la laisse jaune fluo de Bosco dans mes mains. Très vite la nuit est tombée comme une couverture épaisse sur nous. Les bruits de moteurs. Les pétarades de motos. Les cris dont je ne savais s'ils étaient amicaux ou menaçants. Les visages fermés qu'éclairaient soudain les phares des voitures. Tous ces gens qui marchaient, dans la même direction que nous ou en sens inverse, vers Mamoudzou.

Je n'osais parler, je n'osais me retourner pour voir si Bruce était toujours derrière moi, je ne faisais que surveiller où je mettais les pieds. Je ne sais pas ce qui m'effrayait le plus, tomber à gauche sous les roues d'une voiture ou basculer à droite dans la terre-sable noire et sale de la mangrove. Pourtant je continuais car, chaque fois qu'il me venait l'envie de rebrousser chemin, je repensais à ce qui m'attendait, là-bas, dans la maison en Petite-Terre.

Nous sommes arrivés à Kaweni, en lisière de Mamoudzou. Désormais, de chaque côté de la route il y avait des entreprises, des usines, des restaurants et enfin un bout de trottoir, des lampadaires. Nous avons continué dans le bruit, la poussière, sans nous presser. À quoi pensais-je ? À rien, en vérité. Je regardais autour de moi et continuais à marcher comme si je n'avais pas d'autre choix que de faire un pas après l'autre, tiré par La Teigne, poussé par Bruce. Je marchais.

À un carrefour, Bruce a soudain traversé la route et il est allé discuter avec quelques jeunes assis calmement sous un réverbère. Puis il est revenu vers nous, le visage ne montrant aucune expression. Il m'a demandé combien j'avais, j'ai répondu *50*. J'ai enfoncé mes mains dans mes poches et j'ai sorti également deux pièces, l'une de 2 euros et l'autre de 20 centimes. Alors j'ai précisé *52 euros et 20 centimes*. Bruce s'est mis à rire et j'ai pensé qu'il avait vraiment beaucoup de dents et que celles-ci étaient très blanches. Il a tendu la main et je lui ai tout donné, les deux pièces dans les billets en boule. Il a retraversé la route et s'est approché des jeunes. Sous la lumière jaune du réverbère, les jeunes se sont mis debout et, dans un mouvement agile, ils ont aspiré Bruce. J'ai regardé La Teigne qui fixait l'endroit où Bruce avait disparu, au milieu de cette bande. Il avait les bras croisés et le visage fermé, il n'avait pas l'air d'avoir quinze ans, il me faisait l'effet d'un homme sans peur. Je me suis dit que je devais faire de même, contracter les muscles de mon visage, croiser mes bras, fixer un point.

Je me souviens de ces longues minutes où les voitures passaient vite, en faisant ronfler les moteurs. Les motos allaient et venaient, les hommes continuaient à marcher des deux côtés de la route et sous le réverbère, de l'autre côté, les jeunes debout regardaient autour d'eux, sans bouger, sans montrer aucune émotion. Bosco s'était collé à mes chevilles, je le sentais trembler un peu. Je me suis baissé, j'ai caressé doucement son flanc gauche et je pouvais sentir sa peau fine bouger sur ses os. J'ai murmuré *Bosco, Bosco mon bon chien*, et je me suis dit que ces mots-là lui rappelleraient peut-être la maison, la terrasse où il aimait dormir à l'ombre et l'herbe haute de l'été dans laquelle il aimait jouer.

Soudain les phares d'une voiture ont dessiné la silhouette de Bruce, de l'autre côté de la route. Il tenait un sac en plastique dans une main. Je me suis demandé depuis combien de temps il était resté là à me regarder caresser Bosco car j'étais persuadé qu'il me regardait, moi, et pas La Teigne, et pas les voitures qui passaient et pas les gens qui continuaient à marcher et pas le panneau clignotant de l'entreprise de téléphonie mobile qui était derrière nous. J'ai eu l'impression d'être pris en faute et je me suis levé brusquement, mon cœur s'accélérant aussitôt. Bosco s'est redressé aussi, en grognant.

Nous l'avons rejoint et nous sommes entrés dans Gaza. Je ne sais pas qui a baptisé ce quartier de Kaweni Gaza, je ne suis pas sûr de savoir où se trouve la vraie ville de Gaza mais je sais que ce n'est pas bon. Est-ce que si cette personne avait rebaptisé ce quartier avec un nom doux, un nom sans guerre, un nom sans enfants morts, un nom comme Tahiti qui sent les fleurs, un nom comme Washington qui sent les grandes avenues et les gens en costume cravate, un nom comme Californie qui sent le soleil et les filles, est-ce que ça aurait changé le destin et l'esprit des gens ici ?

Gaza était en noir et blanc ce soir-là. Le blanc des tuniques des petits garçons qui allaient à la prière ou rentraient, le noir des caniveaux dans lesquels j'avais peur de basculer, le blanc des seaux et des bouteilles en plastique alignés près du point d'eau, le noir des visages et le blanc des yeux. J'ai senti l'odeur du Gaza de Mayotte et je sais aujourd'hui, sans même avoir jamais voyagé, que c'est l'odeur de tous les ghettos du monde. L'urine aigre des coins de rues, la vieille merde des caniveaux, le poulet qui grille sur des vieilles barriques de pétrole, l'eau de Cologne et les épices devant les maisons, la sueur fermentée des hommes et des femmes, le moisi du linge mou. Et ce bruit incessant qui couvre les pensées, les souvenirs, les rêves. La musique des voitures qui passent fenêtres ouvertes et celle qui dégouline des étages des maisons, le muezzin qui appelle à la prière, une télé qui donne la météo, les cris des enfants qui jouent, les pleurs des bébés qui ont faim et qui ne dorment pas tellement ils ont faim et moi je marchais au milieu de tout ça, je tenais la laisse de Bosco serrée dans ma paume comme si, sans elle, c'est moi qui allais glisser dans un caniveau noir rempli de je ne sais quoi, je suivais Bruce qui bougeait comme un danseur, qui passait là, puis tournait ici, puis bifurquait là. Il est rentré dans un garage, il y avait une ampoule jaune sale au plafond, la moitié d'une voiture sur un sol noir, ça sentait l'essence et le métal, ça m'a fait grincer des dents. Dans un coin, un homme mangeait un bout de manioc, j'ai entendu ses dents croquer-craquer dans cette racine dure et moi, du haut de mes quatorze ans, j'ai eu envie de lui dire *Ça se mange cuit le manioc, il faut le bouillir d'abord*. Il n'a même pas levé les yeux vers nous. Nous sommes ressortis et avons dévalé une ravine, jamais Bruce ne s'est retourné pour voir où j'en étais, peut-être qu'il voulait me perdre mais je n'avais jamais été aussi attentif et agile. Mes pieds se sont enfoncés dans quelque chose de mou, de dégoulinant, c'était le lit de la ravine et ce n'était pas de l'eau qui coulait là. J'ai jeté un coup d'œil à droite à gauche, il y avait quelques lumières ici et là, un brasero plus bas et des ombres au-dessus des flammes mais il fallait avancer, nous étions sur une pente de terre, ça glissait sous mes baskets, ça puait sous mes baskets, une odeur de merde sur moi, j'ai trébuché, un caillou un poignard, je l'ai senti rentrer dans le genou mais, comme eux, j'ai fermé ma bouche et j'ai continué à monter. Le bruit s'est calmé, les odeurs du ghetto se sont tassées, quand je tendais la main, je pouvais toucher des feuilles, des branches, mon cœur bondissait dans ma poitrine, j'avais peur et j'étais excité en même temps, Bosco courait à mes côtés, sa laisse jaune s'illuminait dans la nuit, je grimpais vers le ciel de Gaza où m'attendait je ne sais quoi, je ne sais qui.

Nous sommes arrivés devant une banga et Bruce a ouvert la porte, y est entré. Soudain, tout était devenu très calme, Bruce et La Teigne se sont assis par terre, sur des matelas. Rico, un autre gars, est arrivé et il s'est installé aussi. Il y avait une ampoule au plafond et un fil électrique qui pendait, formait un U en l'air et disparaissait dans la pénombre. Mon jean était déchiré, il y avait du sang, de la terre, mes baskets étaient noires de crasse. Nous avons bu à même le goulot une bouteille d'Oasis saveur tropicale. J'ai demandé de l'eau pour Bosco et les garçons m'ont regardé comme s'ils n'avaient pas compris ce que je venais de dire. Puis Bruce a donné un coup de coude à La Teigne qui s'est relevé et a disparu dans l'autre pièce de la case. Il est revenu avec une bouteille de coca remplie d'eau et la moitié d'une coque de noix de coco. J'ai tenu la noix de coco devant la gueule de Bosco pour qu'il boive et les trois garçons m'ont observé, la bouche ouverte, comme fascinés. Bruce a demandé *Il est méchant ton chien?* J'ai répondu *Non pas du tout, il est très gentil.* Bruce alors a ri comme tout à l'heure et il a dit *Hé, c'est dommage!* La Teigne s'est mis à rire aussi, un son métallique lui sortait de la bouche et je me suis demandé comment je n'avais jamais entendu ça auparavant mais je crois que La Teigne n'avait jamais ri auparavant et il s'est arrêté net quand Bruce a cessé de rire. Nous avons partagé deux baguettes de pain et une boîte de thon. J'ai donné la moitié de ma part à Bosco. Bruce m'a demandé *Tu partages tout avec ton chien?* J'ai répondu *Ben oui, il faut qu'il mange*, et Bruce n'a pas ri cette fois-ci, il m'a juste regardé en hochant la tête et en répétant mes mots *Il faut qu'il mange, il faut qu'il mange.*

Après, ils ont mis du rap américain avec beaucoup de mots comme *nigga*, *fuck*, *ghetto*. Bruce aimait bien ces mots-là. J'ai repensé un instant au mgodro que mon ami Moussa aimait écouter mais ce souvenir semblait provenir d'un autre temps. Pendant la musique, Bruce a évidé trois cigarettes sur une feuille de papier. Le tabac faisait un tas bien net, comme une minuscule colline. Puis il a sorti du sac en plastique un petit paquet qu'il a déroulé avec beaucoup de soin. Il y avait trois pilules à l'intérieur. Il les a posées à côté du tas. Il a sorti un autre paquet, plus épais, qu'il a également déroulé avec précaution. Celui-ci contenait de l'herbe. Je me souviens que les doigts de Bruce étaient agiles et qu'ils bougeaient avec beaucoup de grâce d'un tas à l'autre. Il a écrasé les pilules avec le manche d'un coupe-coupe, puis il a frotté la lame sur la poudre plusieurs fois avec un mouvement régulier pour que la poudre soit bien uniforme. Sur des feuilles à rouler, il a saupoudré du tabac, de l'herbe et la poudre des pilules blanches. Il faisait cela comme un cuisinier, une pincée de ci une pincée de ça. La Teigne était debout, il sautillait sur place et de temps en temps Bruce lui lançait un regard et il se calmait pendant un moment. Il a roulé plusieurs joints puis m'en a tendu un en disant *C'est du bon chimique de papa Bruce*, et, quand je l'ai remercié, il a dit en baissant la tête avec une révérence exagérée *Non, merci à toi Mo*. La Teigne et Rico ont répété *Merci à toi Mo*.

Je les ai regardés fumer d'abord, puis j'ai allumé mon joint, je me souviens que Bosco a fait *iii iii iii* et peut-être que mon chien voulait me dire quelque chose mais j'ai approché le joint de mes lèvres et j'ai aspiré. Après, c'est un autre monde dans lequel je bascule tête la première.

Je suis allongé et Marie est au-dessus de moi, elle me dit *Réveille-toi, Moïse, tu vas être en retard à l'école.*

Je suis allongé et j'entends Bosco gratter à la porte. Je dis à Marie *Il a faim*, mais Marie n'est pas là, c'est Bruce qui est là et qui me dit *Il faut bien qu'il mange*. Puis il se met à rire.

Je suis debout et je chante avec des mots que je ne comprends pas. *Nigga nigga nigga nananana fuck fuck fuck nananana*. La Teigne est par terre, il rit de son rire métallique et je m'approche de lui et je lui dis *nigga nigga nigga*. Il rit encore. Je lui donne un coup dans les côtes. Il rit de plus belle.

Je pisse dehors, je chie dehors et une femme passe. Ce n'est pas Marie, c'est quelqu'un que je ne connais pas. Le soleil a envahi le ciel et il fait si chaud que je me mets tout nu. La femme se met à crier.

Je fume encore et je bois de l'Oasis qui a un drôle de goût. Je bois dans la demi-coque de noix de coco de Bosco mais Bosco n'est pas là, je l'appelle mais mon chien n'apparaît pas, il doit me faire la gueule. C'est Marie qui disait ça quand il ne voulait pas se montrer *Bosco fait la gueule.* Tout à coup, j'entends ma voix, est-ce moi est-ce quelqu'un d'autre est-ce un souvenir, *Mam! Mam!* et je veux sortir de la banga mais je ne peux pas, il n'y a pas de portes, pas de fenêtres.

Je suis debout et je récite. « Quand j'étais tout enfant, nous habitions la campagne. La maison qui nous abritait n'était qu'une petite métairie isolée au milieu des champs. Là nous vivions en paix. Mes parents gardaient avec eux une grand-tante paternelle, Tante Martine. » Bruce se met à rire quand il entend « Tante Martine » et je chante *Tante Martine fuck Tante Martine Tante Martine iz a nigga*, et je rappe comme si j'étais le plus grand rappeur de tous les temps. Mo Tupac Mo Jay Z Mo Dr Dre. Et Bruce rit tellement qu'il pleure. Et moi, Moïse, j'ai quatorze ans, je fume, je bois, je chante et je danse avec les copains, je n'ai pas de passé, pas d'avenir, je suis heureux.

Bruce

Je voudrais que tu te taises que tu la fermes mais ta bouche est close et pourtant je t'entends si fort et tout ce que tu racontes ça vient direct sur moi comme la balle dans les bois quand tu m'as tiré dessus. Je me demande où est mon corps, est-il encore là-haut ? Tu m'as abandonné comme tu as abandonné ta mère elle pourrissait sur place ta mère elle était bouffée par les rats gros comme des chats et son corps avait gonflé comme un ballon et l'odeur tu te rappelles de l'odeur, toi qui parles de Gaza comme tous les Blancs parlent de Gaza, tu parles de la merde tu parles des poubelles tu parles de la misère comme tous ces journalistes qui viennent chez nous comme ils vont au cinéma, après ils racontent ils écrivent des grands mots comme *le plus grand bidonville de Mayotte* comme *le dépotoir à ciel ouvert.* Toi aussi tu dis et tu penses pareil.

Si tu savais comment c'était avant, la ravine de merde dont tu parles. Une forêt verte en haut que c'était, une forêt où mon père ma mère mes frères et moi venions chaque semaine. J'ai pas les mots comme toi Mo j'ai pas de grandes phrases dans ma tête mais souvent je pense à ces années-là. J'ai huit ans neuf ans dix ans, je vis dans la maison de mon père sur la colline de Mamoudzou je n'ai jamais faim je vais à l'école française dans la journée et je vais à la madrasa le soir. À l'école française on m'apprend je suis tu es il/elle/on est nous sommes vous êtes ils/elles sont et les maîtresses sont fines et blanches et elles disent vous êtes français, allons enfants de la patrie, et elles n'utilisent pas de bâton pour taper quand tu fais une bêtise mais elles te caressent les cheveux en disant petit coquin. À la madrasa on s'habille de blanc et on récite le Coran et si on se trompe *fachak* on se prend un coup de branche de manguier mais c'est pas grave c'est comme ça la vie et on nous dit vous êtes des musulmans et moi je vis comme ça, mahorais français musulman qu'est-ce que j'en sais je n'ai jamais faim. Je suis le seul des enfants de mon père à aller à l'école parce que je suis le plus jeune et que mon père a demandé au djinn de la colline de veiller sur moi. Je vais jouer avec les copains je vais manger chez les copains je grimpe dans les cocotiers dans les manguiers je n'ai jamais faim je me baigne dans la ravine et ma mère et mes tantes qui lavent le linge me disent de me baigner vers le haut pas dans l'eau savonneuse mais moi j'aime l'odeur du savon et l'eau qui devient blanche je me baigne et ma peau gratte et pèle de ce savon acheté en barres chez Sodifram mais je n'ai jamais faim, Mo, je n'ai jamais faim.

C'est vendredi et je guette mon père derrière la porte. Je suis dans ma belle tunique brodée de fils dorés et j'attends mon père qui arrive lui aussi dans sa belle tunique du vendredi et nous allons voir le djinn. Nous descendons la ravine, nous traversons l'eau claire qui fait *clap clap clap* contre les rochers encore blancs de savon et mon père dit *Relève ta tunique* et je relève ma tunique et nous grimpons jusqu'au verger et *Chut* dit mon père et je marche doucement je suis si fier d'être avec lui, il n'y a rien ici à part des arbres fruitiers et des lianes et des arbres tellement grands qu'ils me font un peu peur. Mon père sort de sa sacoche un petit pot de miel et un œuf et il les pose près d'un grand arbre. *C'est pour les Wanaisas,* me dit-il, *tu les connais?* Je réponds ce que j'ai appris à l'école coranique *Les Wanaisas sont des petits hommes poilus avec des pieds à l'envers et un gros bras gauche qui gardent la forêt et le lit des rivières.* Mon père me regarde en souriant. Il me montre des arbres, il me dit de ne jamais cueillir ces fruits-là après la tombée de la nuit et *Là*, me montre-t-il encore, et quand il fait comme ça avec son bras pour me montrer le haut des arbres, sa tunique laisse apparaître sa belle montre, *Là il ne faut jamais couper cet arbre même s'il est malade il faut le laisser mourir ici et il deviendra poussière et sa poussière servira aux Wanaisas et il y aura à la place un autre arbre, encore plus beau.*

Nous marchons lentement et j'aime regarder l'eau qui dévale entre les deux escaliers en pierre. Ces escaliers datent de si longtemps qu'ils étaient déjà là quand mon père était enfant. Mon père refuse que je vienne plonger ici et tous mes copains y vont, je les regarde, ils me disent *Viens trouillard* mais je n'y vais jamais je respecte ma parole, Mo, je les regarde grimper l'escalier et sauter dans le bassin et ils crient ils rient mais je n'y vais jamais. Après les escaliers, il y a d'autres arbres et plus loin un grand bassin vert. Mon père sort alors la bouteille d'eau de Cologne, du lait et des gâteaux. L'eau est verte comme ton œil-là ton foutu œil qui m'a porté malheur et mon père fait des prières et se prosterne sa tunique se salit et je sais que ma mère la lavera le lendemain en faisant *chick* avec sa bouche pincée mais mon père s'en fiche. Chaque vendredi mon père et moi nous allons voir le djinn et mon père lui demande de veiller sur moi, il prie pour que j'aille loin que je traverse les mers que je porte un costume une cravate et que je parle bien français et que j'écrive bien français qu'un jour je travaille dans un bureau, il dit ça mon pauvre père. Mon père m'avertit *Ce djinn te regarde, ce djinn t'observe et le mal que tu fais il va te le faire à toi aussi et le bien que tu fais il va te le faire à toi aussi*, et moi quand j'étais petit je regardais par-dessus mon épaule mais je ne sautais pas dans le bassin avec mes copains parce que le djinn surveillait chacun de mes gestes.

J'ai huit ans neuf ans dix ans et je m'appelle

Ismaël Saïd, j'aime écouter les chauves-souris dans les arbres et je m'imagine voler comme elles, être tête à l'envers et voir un autre monde c'est peut-être stupide mais c'est comme ça mes pensées. Un jour dans une association montée par les muzungus qui s'appelait « Les enfants de Mayotte » ils nous ont fait voir le film *Batman* et je comprends alors que je suis Bruce Wayne, je le sens en moi, j'imite sa voix et sa colère et je veux tout peindre en noir et avoir une cape et ces conneries-là.

J'ai huit ans neuf ans dix ans et je n'ai pas faim mais je n'ai pas assez de cahiers et je ne comprends pas tout, j'ai tu as il/elle/a nous avons vous avez ils/elles ont, je ne comprends pas les noms propres et les noms qui ne sont pas propres et je suis fatigué en classe parce qu'il fait si chaud dans la pièce de la maison de mon père où nous dormons tous que je ne trouve jamais le sommeil et je n'ai pas assez de temps et pas assez d'intelligence disent les maîtresses qui sont fines et blanches et le directeur il dit la même chose à mon père qui se tait de honte. Il porte son pantalon de coton noir et sa chemise à rayures bleues ce jour-là et il n'a pas mis son kofia* sur la tête pour aller voir les Français et mon père croit que c'est pour ma rentrée au collège qu'il a rendez-vous et avant même d'y aller il est fier mais le directeur dit *Non il n'est pas fait pour cette école il a du mal il n'est pas heureux ici, il ne sera pas heureux au collège* et ce directeur lui donne le nom d'une école spécialisée pour les enfants en grande difficulté d'apprentissage je n'oublierai jamais ça *En grande difficulté d'apprentissage* et il dit *Ismaël sera mieux là-bas* mon père se tourne vers moi et dans ses yeux il y a quelque chose qui se casse. Je commence à crier, je voudrais sauter sur le bureau et saisir au cou le directeur mais il se lève et il dit *Voyez vous-même monsieur, il n'est pas fait pour le collège.*

J'ai huit ans neuf ans dix ans et je refuse d'aller dans cette école pour handicapés je pleure je crie mon père me bat ma mère me bat mais je refuse d'aller avec ceux qui bavent et qui dessinent toute la journée et je vais chaque après-midi attendre le directeur car je veux lui parler pour qu'il change d'avis mais quand je le vois je veux le taper je veux taper sa famille et un jour je lui envoie un caillou dans le dos et un deuxième et un troisième après je ne sais plus.

J'ai dix ans onze ans et je vole un euro dans le porte-monnaie de ma grande sœur. Mon père m'attache à une chaise et chaque membre de ma famille vient me donner une gifle ou deux. Mon père dit que, si je recommence, il m'attachera sur la place du village. Ça ne me fait plus rien, je ne suis plus un petit garçon je ne suis plus Ismaël Saïd je m'appelle maintenant Bruce, je saute dans le bassin je cours toute la journée je dors sous les varangues des maisons que je ne connais pas et j'ai faim. Je ne sais pas qui me donne une cigarette et un coca, puis une cigarette et une bière. Je vais voler des fruits et je les vends à des clandestins qui eux-mêmes se mettent en bord de route pour les revendre. J'ai faim, ma mère me donne à manger en cachette mais je suis tout le temps en colère dans la maison de mon père, c'est comme un mauvais djinn qui rentre en moi dès que je passe la porte et je tape, je crie.

J'ai dix ans onze ans et les cases en tôle apparaissent les unes après les autres. Il y a des clandestins qui viennent construire là où il ne faut pas, là où les Wanaisas vivent et ils creusent des trous, ils font des feux, ils posent des tuyaux pour récupérer l'eau des bassins et ils chient partout et le bassin s'assèche et plus personne ne saute car il n'y a plus d'eau et plus personne ne fait la lessive et l'eau sent la merde et la pisse et l'essence. La forêt meurt et à la place il y a les ferblantiers qui recouvrent la terre de fer et de feu.

Je vole par-ci par-là, dans les mourengués je gagne une fois deux fois, je deviens fort je deviens méchant j'ai envie de taper tout ce qui bouge. J'ai douze ans treize ans, ma bite me gratte et je veux une fille mais pour une fille il faut des euros et un jour je vole la montre de mon père je vais voir les sousous* au rond-point de Cavani et je baise pour la première fois dans la mangrove et, quand je rentre, mon père m'attend en bas du village mais je suis un homme maintenant j'ai baisé je m'appelle Bruce et je n'ai pas peur et je sautille autour de lui comme je fais pour les mourengués et il me regarde avec le même regard cassé et c'est fini.

J'ai quatorze ans quinze ans je suis à la rue et la journée j'attends je bois je fume. Quand je n'ai pas assez d'argent pour les sousous, avec les gars on va voler des chèvres pour les fourrer c'est pas pareil mais ça calme. Le soir, je traque je vole je fais sursauter les gens bien, les gens comme mon père qui a quitté sa maison et qui habite maintenant dans le Nord, et je sais comment et qui voler je sais qui vend je sais qui achète, je bloque les rues quand je veux et il me suffit de dire un mot et c'est la guerre ici. Quand y a des élections tu as vu comment ils me mangent dans la main tu as vu comment ils me cherchent, où est Bruce que pense Bruce que fait Bruce. Le roi de Gaza, c'est moi.

Je me demande où ils vont m'enterrer et quel nom ils vont me donner. Je me demande s'ils vont avertir mon père en lui disant *Votre fils Ismaël Saïd est mort* ou s'ils vont lui dire *Bruce est mort* et lui va rien y comprendre et c'est à cause de toi toute cette merde.

Moïse

Il n'y avait plus rien à fumer, plus rien à boire, plus rien à manger. J'étais au sol, j'avais l'impression d'avoir de la terre dans la bouche. Il n'y avait personne dans la banga. J'ai rampé jusqu'à la porte et, dehors, le soleil m'a transpercé les yeux, la lumière jaune entrait dans ma tête avec un bruit de perceuse. Je ne sais pas comment j'ai trouvé une barrique remplie d'eau, j'y ai plongé ma tête encore et encore. J'ai bu encore et encore la même eau dans laquelle j'avais plongé ma tête et mon visage crasseux. J'ai enlevé mon tee-shirt et je me suis éclaboussé d'eau. Mon jean était sale. J'étais pieds nus. Peut-être que si j'étais resté un peu plus longtemps, seul, sur cette pente sèche et rouge, derrière cette banga en tôle, peut-être que si j'avais regardé autour de moi et vu que Gaza ce n'était qu'un amas de cases roussies de poussière, de fils électriques entremêlés, de toits de tôle retenus par des grosses pierres, si j'avais vu qu'ici il n'y aurait jamais d'issue pour moi, si j'avais compris que ces sentiers et ces venelles ne m'offriraient rien de bon, alors peut-être que j'aurais couru à perdre le souffle vers Mamoudzou, vers la barge, vers la maison, vers le corps sans vie de Marie. Mais Bruce est apparu pendant que je me lavais et derrière lui il y avait La Teigne, Rico et deux autres garçons que je ne connaissais pas. Ces derniers avaient l'air d'avoir à peine dix ans. Bruce a dit *C'est bon, on y va.* J'ai demandé *On va où ?* Ma voix était enrouée, les mots écorchaient ma gorge. Bruce n'a pas répondu.

Nous avons descendu la colline en file indienne, Bruce devant et nous autres derrière. Nous avons marché vers Mamoudzou, j'ai regardé l'horloge devant l'embarcadère, il était treize heures vingt mais de quel jour je ne savais pas et je ne sais toujours pas combien de temps j'ai passé en haut. Bruce a acheté des tickets pour nous six et ce n'est qu'à ce moment que j'ai pensé à Bosco. J'ai demandé à La Teigne *Où est mon chien ?* Il a haussé les épaules. Quand nous sommes montés sur la barge, je me suis approché de Bruce et j'ai posé la même question et il m'a répondu *Occupe-toi de l'argent et tu verras ton chien plus tard.* J'ai commencé à avoir peur et j'ai demandé *Quel argent ?* Bruce s'est approché de moi, il avait des vêtements propres, une haleine fraîche. La Teigne, Rico et les deux gamins aussi étaient ainsi, comme lavés de frais. Il n'y avait que moi qui étais sale et puant. Bruce a posé une main sur ma jambe. *Tu as dit que ta mère avait du pognon chez elle et que tu connaissais son code de carte bleue et tu nous as proposé de venir chez toi n'est-ce pas, tu ne te souviens pas, ce matin même tu disais ça, alors on s'est lavés, on s'est faits beaux pour aller voir ta maman, tu n'as pas remarqué ?* Pendant qu'il parlait, il serrait de plus en plus ma cuisse. Autour de nous, les gens ne remarquaient rien, ils discutaient, ils riaient, ils somnolaient ou regardaient la mer. Comment personne n'a remarqué combien j'avais peur ? Peur de Bruce, peur de retourner à la maison, peur de tout, c'est un sentiment qui m'écrasait, qui m'empêchait de penser, de fuir, de faire quoi que ce soit d'autre que rester assis sur cette banquette de bois, regarder la mer sans la voir, regarder Petite-Terre s'approcher, reconnaître l'abri en tôle à l'embarcadère où j'ai attendu Marie tant de fois, avoir peur encore et encore, finir par croire que c'est tout ce que je suis, tout ce que j'ai, finir par croire que c'est mon nom même.

Nous avons pris un taxi, comme si nous étions des collégiens et dans le véhicule, Bruce plaisantait en shimaore avec les autres et le chauffeur de taxi riait de bon cœur.

Bruce a posté un gamin au début de la route qui menait à ma maison et un autre à cinquante mètres en aval. Dans ma poche, j'ai trouvé le trousseau de clés. Il n'avait pas bougé depuis le jour où j'avais fui la maison avec Bosco. Comment était-ce possible ? Je tremblais quand j'ai ouvert le cadenas de la petite porte en fer qui donnait sur le jardin. Bruce a intimé à Rico de rester près de la porte. Nous avons longé le côté droit de la maison. Je tremblais sans pouvoir m'arrêter et j'ai dû m'y reprendre à plusieurs fois pour ouvrir le cadenas de la grande porte de la terrasse. La Teigne a reniflé bruyamment et Bruce a dit *Ça pue ici.* Mes dents claquaient quand la chaîne a glissé à mes pieds avec un grand *clang.* Tout est devenu flou devant mes yeux et Bruce a dit *Putain c'est quoi cette odeur ?*

Le vrombissement des mouches. Bruce qui me donne un coup de pied dans le dos et qui parle en shimaore, je suis à terre, j'ai peur, je tiens ses chevilles je ne sais pourquoi, l'odeur est insoutenable et il crie *Où est le fric, où est le fric ?* en essayant de se dégager. Je rampe jusqu'à la chambre de Marie où tout est aussi parfait et blanc qu'avant, mais l'odeur de la mort rampe, j'aperçois son sac à dos marron, je vérifie qu'il y a bien son portefeuille à l'intérieur, je vais dans ma chambre, je prends mon livre, je veux rester là, je vais m'enfermer ici même dans ce blanc parfait et l'odeur finira bien par passer. Un gamin crie dehors et Bruce fonce vers moi, veut m'arracher le sac des mains mais je résiste et alors il me saisit par le cou et je suis dehors.

J'entends une voiture s'arrêter sur le gravier devant la maison, j'entends crier *C'est les flics* et nous courons, grimpons sur les grillages métalliques, sautons dans d'autres jardins et nous courons encore et encore, l'herbe l'asphalte la boue la terre les cailloux le ciment sous mes pieds, des aboiements des cris des klaxons des crissements de freins le muezzin mon propre souffle à mes oreilles, je suis griffé tapé sonné battu retenu poussé écarté mais je cours et je m'éloigne de la maison et je sais que jamais je n'y reviendrai.

Quand nous nous sommes arrêtés, c'était dans les bois, sur la colline de Moya. De l'autre côté du versant, il y avait la plage de Moya et le souvenir des après-midi du dimanche avec Marie, mais c'était quand j'étais enfant, quand je croyais que j'étais blanc, quand je pensais qu'elle resterait avec moi toute ma vie. J'ai donné tout l'argent à Bruce, je lui ai promis que, le lendemain, j'irais prendre d'autres billets au distributeur. J'ai vidé le sac devant lui, il a trié les choses, récupéré ce qu'il voulait et il restait ça : la carte d'identité de Marie, son foulard en soie, le livre *L'enfant et la rivière*. Je les ai fourrés dans le sac.

La nuit commençait à tomber. J'avais peur mais je n'ai pas lâché Bruce d'une semelle.

Bruce

Si tu crois que c'est facile d'être le chef de Gaza.

On ne devient pas le roi comme ça, c'est la jungle ici, il faut être un lion, il faut être un loup, il faut savoir renifler l'air, sentir les proies, sortir les griffes et, moi, je les ai sorties quand il y a eu les grandes grèves. Qui a fait le premier feu sur le carrefour de Kaweni ? Moi. Qui a décidé de bloquer la route ? Moi. Qui a lancé le premier caillou sur les pompiers ? Moi. Ha ha. Tout le monde me suivait, les adultes, les fonctionnaires, les vendeurs, les syndicats, ils criaient tous *Non à la vie chère* mais moi je m'en fichais de ce qu'ils criaient, moi j'avais allumé le feu et c'est ce que fait un chef de guerre, il mène la troupe, il allume le feu et, quand il décide, il éteint le feu lui-même. Et tout le monde l'a su. Le vent me parlait comme ça en me ramenant les voix des uns et des autres *C'est Bruce qui a bloqué la route de Kaweni, c'est Bruce qui a décidé, c'est Bruce qui a dit, il faut demander à Bruce, où est Bruce.* Même le vent disait mon nom et c'est comme Gotham qui appelle Batman.

Il faut connaître Gaza comme si c'était ta femme. Tu sais où sont les plis, où sont les rondeurs, tu sais quand elle crie, tu sais quand elle a mal, tu sais ce qu'elle aime, tu sais ce qu'elle n'aime pas, tu sais ce qu'elle aime manger, tu connais les chansons qu'elle aime écouter, tu sais comment lui plaire, tu sais comment la faire ramper, tu sais là où elle est sèche, tu sais là où elle est toute trempée. Tu ne confonds pas sa tête et son sexe, tu ne confonds pas ses mains et ses pieds. Personne ne connaît Gaza comme moi.

Il faut être fort, ne pas avoir peur de te battre et, à Gaza, on sait que Bruce est comme Batman, il domine tout le monde. Il ne cède ni devant les flics ni devant les politiciens. Il sait tout transformer en arme, un caillou, un bâton, une feuille de tôle, un couvercle de marmite. Il faut savoir cogner et il faut gagner devant tout le monde.

Ce que tu m'as fait, hier, je ne te le pardonnerai jamais et mes loups non plus.

Il faut avoir une armée. Des petits pour surveiller aux quatre coins et que tu envoies mendier auprès des muzungus. Tu fais des concours entre bandes de petits, t'en envoies au Caribou Café, à la descente de la barge, au Banana Café et tu attends. Ils rentrent à Gaza en souriant comme si t'avais inventé le plus beau jeu pour eux. Tu crois que tu l'aurais trouvé toi ce jeu, connard ? Les petits ça sert aussi à grimper un peu partout, dans les arbres pour les fruits, sur les toits quand on veut tirer un câble de télévision, ce genre de choses.

Il faut avoir des grands pour t'assister et te protéger. Le plus difficile c'est de les choisir. Il faut qu'ils soient forts mais pas autant que toi, courageux mais pas autant que toi, il faut qu'ils te respectent assez pour te suivre et même mourir pour toi, tu dois connaître leurs secrets, leurs vices, leurs petites faiblesses, et j'ai vu ton secret et ta faiblesse. T'as laissé ta mère crever sur le sol et tu as peur de tout. Tu n'es qu'un trouillard. Tu nous as mis en danger ce jour-là, hein, Monsieur Mo-ïse qui avait soi-disant de l'argent chez lui et qui n'a dit à personne qu'il y avait un corps qui se décomposait tranquillement sur le sol de la cuisine, et pour cela il a fallu que tu payes, c'est comme ça si tu veux être de la bande de Bruce, il faut faire tes preuves, il faut donner de ton sang. Si tu voulais pas, fallait pas rester toute la nuit avec moi et me suivre comme un chien. Fallait pas supplier de ne pas te laisser là-bas à Moya, petit pédé.

Pour être le roi, il faut avoir des sympathisants, à qui tu offres une cigarette, un joint, un conseil, une protection et qui, en retour, te parlent. Te disent qui part de Gaza, qui rentre dans Gaza, qui dit quoi sur toi, qui dit comment sur toi. Te disent quelle maison est vide pour les vacances, quel entrepôt a reçu un nouveau chargement et toi tu écoutes, tu écoutes bien, tu écoutes tout le monde même ceux qui racontent que des conneries parce qu'on ne sait jamais et tu fais travailler ta tête.

Avant tout, il faut avoir de l'argent, de la thune, du fric, money money money, il faut que ça rentre, il faut que ça sorte, il faut que ça boive, que ça fume et que ça revende. Le meilleur joint c'est toi qui dois l'avoir. C'est toi qui dois l'offrir aux autres. Le meilleur son c'est toi qui dois l'avoir et, quand vient le samedi soir, on doit les entendre les *boum boum* de ton appareil et on doit savoir qu'ils viennent de chez toi.

Pour rester le chef, pour durer, les règles doivent changer. Personne ne peut s'habituer à Gaza et cesser d'avoir peur. Même s'il y avait de l'argent chez toi, même si la carte bleue a marché deux jours et que j'ai pu prendre pas mal de fric, tu nous as mis en danger et les flics nous ont pistés. Pour rester le chef il faut punir et j'ai puni. Je suis pas comme toi moi, à ouvrir ma bouche pour faire joli, pour dire je me souviens, pour dire je regrette et je regrette encore. Non, moi je dis la vérité. Trois jours après la virée chez toi, tu te sentais comme mon frère non? Tu parlais déjà comme pour dire que tu savais mieux que tout le monde, tu disais que tu voulais pas voler, tu voulais plus fumer, plus boire et je t'ai laissé faire un jour ou deux. Tu as même commencé à me parler comme me parlent les mecs des ONG. *Pourquoi tu fais ça Bruce? Pourquoi tu veux pas changer de vie? Pourquoi tu vis dans la violence?* Tu m'as raconté ta vie et, putain, je ne sais pas comment j'ai réussi à ne pas t'éclater la gueule ce jour-là. Tu m'as raconté comment ta mère, ta vraie mère, cette pute, t'a donné à la muzungu et comment celle-ci a obtenu un certificat de reconnaissance de paternité pour toi. Tu m'as raconté combien tu étais heureux avec elle, tu utilisais ce mot-là, *heureux*, comme les Blancs, comme dans les livres à l'école, comme les maîtresses fines et blanches et comme le directeur qui avait dit à mon père *Il n'est pas heureux ici, il ne sera pas heureux au collège* et j'ai pensé que t'étais le diable, que c'était le djinn qui t'avait envoyé avec ton œil vert comme les arbres dans lesquels ils vivent et que je devais faire quelque chose pour que tu arrêtes de parler comme ça de parler de l'école, du collège, des pique-niques au lac Dziani, *ton endroit préféré au monde*, mais dans quel putain de monde tu vis ? C'est Mayotte ici et toi tu dis c'est la France. Va chier ! La France c'est comme ça ? En France tu vois des enfants traîner du matin au soir comme ça, toi ? En France il y a des kwassas qui arrivent par dizaines comme ça avec des gens qui débarquent sur les plages et certains sont déjà à demi morts ? En France il y a des gens qui vivent toute leur vie dans les bois ? En France les gens mettent des grilles de fer à leurs fenêtres comme ça ? En France les gens chient et jettent leurs ordures dans les ravines comme ça ?

Je suis le roi et je devais te punir, Mo. Je devais changer les règles, je devais montrer que les gens comme toi, qui ont la peau aussi noire que moi mais dont les paroles sont blanches et fades comme celles des muzungus, je devais montrer que je savais régler leur compte à ces gens-là.

J'ai fait passer le mot dans tout Gaza. Samedi soir, c'est mourengué sur la colline. Samedi soir, y a punition. J'ai vu mon père combattre au mourengué, j'ai vu mes oncles, mes cousins et, dans mes rêves, je vois mes ancêtres lutter et danser dans le ring formé par la foule. Samedi est arrivé. Les tambours sont montés. Y avait l'alcool et les cigarettes. On a dansé, on a lutté à mains nues comme nous les Mahorais savons faire. Quand je suis entré dans le ring, les tambours ont accéléré la cadence et j'étais torse nu et toi t'avais encore ton vieux tee-shirt et tu étais déjà bourré, t'avais déjà trop fumé et tu riais et je t'ai sauté dessus d'un coup, je peux pas dire que tu ne t'es pas défendu c'était même étonnant, tu m'as étonné Mo, tu donnais des coups de pied tu lançais les mains mais tu ne savais pas te battre, tu ne savais pas te battre en dansant, tu ne savais pas être fort et être léger, tu ne savais pas faire appel aux ancêtres, tu ne savais pas suivre la cadence des tambours, tu ne savais pas imiter Muhammad Ali quand il bondit sur le ring et tu crois qu'il va t'embrasser tellement il est léger mais *bang bang* sur toi comme ça j'ai sauté et quand t'as commencé à hurler, ton œil vert s'est ouvert comme jamais et dedans je voyais mon père je voyais les djinns je voyais cette colline avant Gaza je voyais mon enfance et le vert des arbres et les fruits qu'il ne faut pas cueillir à la nuit tombée et les feuilles qu'il ne faut pas toucher et j'ai fait signe et dans ma main est apparu mon coupe-coupe je l'ai passé sur ton visage au-dessus du sourcil et jusqu'à la mâchoire comme ça comme on passe un crayon sur le papier, doucement mais sûrement disaient les maîtresses fines et blanches, sans appuyer, sans hésiter, un trait fin et sûr et le sang a pissé la foule a crié, ma couronne lourde d'or de roi de Gaza je l'ai sentie sur ma tête je ne mens pas j'ouvre pas ma bouche pour mentir, mais toi tu n'as pas crié tu n'as pas bougé peut-être que tu n'as rien ressenti, après tout tu es l'enfant du djinn et mon père m'avait dit de faire gaffe au djinn.

Il est quelle heure ? En ce moment, je suis souvent dans ma banga ou sous l'arbre à pain derrière l'atelier de ferblanterie. J'aime qu'on vienne à moi si on a besoin mais il faut pas qu'on me voie de trop. J'écoute de la musique, je fume un peu mais pas trop, je récolte l'argent des petits, je planifie les sorties du week-end. C'est le soir que je descends à l'entrée de Gaza. Ah, Mo, parfois je bande de savoir qu'ils ont tous peur de moi, de les voir tous saliver de ces billets dans ma poche et des paroles qui sortiront de ma bouche et ils veulent tous me parler, me demander ce que j'ai dans la tête, tous se mettre à côté de moi car c'est moi Bruce, le roi de Gaza, et je ne voulais pas en rester là, je n'ai que dix-sept ans putain, je voulais devenir le roi de Mayotte, le roi des Comores, je voulais que le préfet dise mon nom, que tout le monde dise mon nom, tous les muzungus, tous les marins, tous les pompiers, tous les fonctionnaires, tous les flics.

Il est quelle heure ? Ici, ce n'est pas la vraie vie n'est-ce pas ? Hé Mo, réponds. Je vais me réveiller, n'est-ce pas, je vais pouvoir à nouveau ressentir quelque chose n'est-ce pas, ce mur-là que je vois que je touche mais je peux pas le toucher pour de vrai, ça va s'arrêter bientôt, cette affaire, Mo, dis-moi, je suis toujours le roi de Gaza hein ? Je vais te dire, ça me manque ma colline, ça me manque tous mes gars, ça me manque le soleil d'avant midi, l'odeur de la ravine me manque, la fumée métallique de l'atelier des ferblantiers me manque, ces *clang clang* sous le soleil et le bruit de leurs scies et le bruit de leurs marteaux. Je ne dois pas être ici, je dois sortir d'ici, je dois retrouver Gaza. C'est là-bas que j'appartiens.

Moïse

C'est un vieux Blanc qui m'a recousu, il s'appelle Dédé. Il porte un pagne autour des reins, un tee-shirt sans manches et la télévision est allumée chez lui nuit et jour. Dans son salon, il y a une photo de lui en uniforme de militaire.

Je suis resté chez lui pendant des semaines. Le temps n'avait plus d'importance. J'étais tombé dans un lieu secret, une nuit sombre et interminable dont il me serait impossible de ressortir.

Même si la coupure n'était pas profonde d'après Dédé, la cicatrice est restée pâle et longue, ma paupière droite s'est affaissée de sorte que j'ai toujours l'impression d'avoir une brume dans l'œil, mais ce n'est que l'effet que font mes cils. Parfois, le soir, quand je me sentais mal et que tout ce qui m'était arrivé me tournait autour comme un prédateur prêt à me bondir dessus à nouveau, j'imaginais que la brume était une présence surnaturelle et bienveillante qui me donnait des nouvelles de Marie, de Bosco, qui me parlait de tout et de rien. Bruce venait me voir de temps en temps, à la nuit tombée. Il se tenait à côté du lit sans un mot et m'observait. Je ne sais pas ce qu'il regardait, peut-être vérifiait-il que j'avais encore et toujours peur de lui ? Le vieux Blanc changeait régulièrement mon pansement, vérifiait les sutures, prenait ma température. J'avais de nouveaux vêtements, de nouvelles chaussures, mon sac marron était au pied du lit. Je pouvais aller et venir dans la maison mais je n'avais pas le droit de sortir. Dédé parlait peu et, quand il ne s'occupait pas de moi, il regardait la télé et buvait. C'est incroyable la quantité l'alcool qu'il ingurgitait par jour mais jamais il n'était ivre. Parfois, quand je refusais de me nourrir, il me faisait manger à la cuillère en disant *Allez gamin, encore une* et peut-être que je pleurais un peu à ce moment-là, je ne sais pas.

Quand Bruce est venu me chercher, Dédé a dit qu'il fallait que je revienne le voir une fois par mois. Bruce lui a donné un sac rempli de bouteilles d'alcool, le vieux a refermé la porte sans un regard pour moi. J'ai entendu le bruit de la télé. Je suppose que, comme pour nous tous, Bruce connaissait les secrets sombres et les faiblesses de Dédé. Je ne l'ai jamais revu.

Quand ma cicatrice me démangeait, j'allais dans les bois chercher des feuilles d'aloe vera et j'étalais leur sève gluante sur mon visage. J'avais vu Marie faire ça il y a longtemps pour une cicatrice à la jambe qui parfois, les jours humides, la démangeait.

Pendant longtemps, après ça, je n'ai pas parlé. J'ai tout gardé en moi et mon corps entier est devenu un lieu clos où j'accumulais les mots, les pensées et dans mon ventre parfois ça bouillait, *pop pop pop*, comme du riz qui cuit. Il se disait qu'après le mourengué j'avais perdu la raison et je laissais dire, je laissais parler. Et peut-être qu'ils avaient raison parce que parfois, au petit matin, quand je montais tout en haut de la colline de Mamoudzou, je laissais échapper un cri et, même si je savais que ce cri-là venait de mon ventre, je ne le reconnaissais pas tant il était profond, épais et noir.

Pendant longtemps, après ça, j'ai été un bon soldat de l'armée de Bruce. Je faisais le guet quand on me demandait de faire le guet, je comptais le nombre de voitures inconnues qui entraient dans Gaza, j'allais arracher du manioc et je le faisais bouillir, je volais des chaussures et des savates à la mosquée, j'allais cueillir des fruits, voler des vêtements qui séchaient sur les murs, je surveillais la banga de Bruce quand il s'absentait, quand il baisait, je la nettoyais aussi parfois. Dans la journée, je tenais à distance les pensées, les souvenirs et les questions. La nuit, j'essayais de trouver un endroit pour dormir quelques heures et parfois je ne faisais que marcher dans les rues, marcher dans mon sommeil.

Un jour tandis que j'allais chercher des bananes dans la petite plantation qui se trouve en amont des deux escaliers de pierre, j'ai découvert Bosco. Il avait plu pendant les deux jours précédents et Gaza semblait vouloir s'effondrer sur lui-même. La terre se détachait par mottes entières de la colline. L'atelier de ferblanterie s'était affaissé, dans la ravine coulait un torrent de boue. Bruce était parti je ne sais où et moi j'étais resté à regarder la pluie, la boue et les choses se déliter lentement et glisser vers la mer. Dans ma tête, je priais pour qu'un trou se forme à la place de la ravine et engloutisse tout Gaza.

Mais la pluie s'est arrêtée, le soleil a tapé de nouveau et Bruce est revenu avec sa garde rapprochée. Il m'a vu sous la varangue d'une maison dont les volets et la porte restaient toujours clos, il m'a fait signe d'approcher et il m'a dit *Mo tu vas chercher à manger, débrouille-toi.* Depuis le jour de mon retour à Gaza, il me parlait toujours d'une voix forte mais jamais agressive. Il me donnait des ordres, tout simplement, et j'étais un bon chien, va chercher, assis, debout. Je ne le regardais plus jamais dans les yeux, je gardais ma casquette nuit et jour et mon sac marron sur le dos.

Je suis donc monté vers le haut de la ravine en espérant trouver un régime intact de bananes, j'ai grimpé tant bien que mal, m'accrochant ici et là, me repérant aux deux grands escaliers en pierres noires accrochés à la colline. Si ces pierres savaient parler, que raconteraient-elles de la vie ici, avant Gaza ? Peut-être que c'était le paradis ici, que les enfants venaient sans peur jouer et courir et ensuite rentraient chez eux, mangeaient à leur faim et dormaient dans des draps propres ?

Le sentier qui longeait la bananeraie avait disparu, il y avait un fatras de terre, de bouts de ferraille, de tôle, de détritus divers. J'étais en train de me demander comment j'allais faire pour passer de l'autre côté quand j'ai vu quelque chose de jaune sortir du sol et mon cœur a bondi dans ma poitrine. C'était un jaune particulier qui s'illuminait la nuit, le jaune fluo, m'avait appris Marie le jour où elle avait acheté cette laisse pour Bosco. J'ai pensé que Bosco, que je n'avais pas revu depuis le premier soir, avait été enseveli par une coulée de boue et j'ai commencé à tirer dessus, ça résistait, alors j'ai fouillé, j'ai gratté avec mes mains, j'ai dégagé la laisse en répétant *Bosco Bosco mon bon chien*, j'ai tiré de toutes mes forces et d'un coup est sortie une chose sèche et dégoulinante à la fois, la peau craquelée et déchirée, mi-squelette mi-monstre, la gueule ouverte avec la laisse jaune autour de ce qui restait du cou. Je n'ai pas crié, je n'ai pas reculé, je me suis juste écroulé là et j'ai pleuré devant Bosco qui était mort depuis longtemps, comment je ne sais pas, mais sûrement pendant que je fumais ce premier joint de chimique et que je chantais en imitant les rappeurs américains et que je dansais et que je buvais dans sa noix de coco.

J'ai quatorze ans ou déjà quinze ans je ne sais plus. Quelle importance après tout puisque chaque jour est le même. La peur, la faim, la marche, le sommeil, la faim, la peur, la marche, le sommeil. Je mangeais ce que je trouvais, je me lavais quand je pouvais, je dormais sous les varangues, un œil ouvert. Je devais souvent faire le guet à l'entrée de Gaza et je récupérais le butin des petits pour le donner à un des lieutenants de Bruce. Certains soirs, je voyais le groupe maudit descendre, Bruce entouré de Rico, La Teigne et Nasse. Ils allaient rôder et cambrioler les maisons. Je n'étais pas de la partie car, pour eux, non seulement j'avais perdu la tête mais en plus je portais malheur. Pendant longtemps, je ne suis pas sorti de Gaza. Pendant longtemps j'ai été mort car je suppose que c'est ce vide-là qu'on a dans le ventre et dans le cœur quand on est mort.

Un jour comme les autres, même soleil, même ciel dur, même poussière rouge, mêmes *clang clang* de l'atelier, même odeur de ferraille et de merde, il y a eu la campagne électorale. Un petit est venu me chercher. Bruce m'attendait chez lui, il était très bien sapé, bermuda avec des poches sur les côtés, polo crocodile, sac CC en bandoulière, chaîne en or. Il m'a donné de nouveaux vêtements, pas tout à fait comme les siens mais des choses propres et neuves que ses soldats fauchent sur le marché clandestin qui se monte chaque jour au bord de la mangrove. Il y a des vendeurs à la sauvette et des voleurs à la sauvette. Bruce m'a donné de nouvelles savates également et m'a dit *Tu viens avec nous.*

À l'entrée de Gaza, nous nous sommes mêlés

aux autres, sapés comme moi, sentant le déodorant et le talc. Bruce était au milieu, ni tout à fait visible, ni tout à fait invisible. Il suffirait d'un pas pour qu'il apparaisse et il suffirait d'un autre pour qu'il disparaisse. Une grosse voiture neuve est arrivée et le soleil a glissé sur le capot gris. Deux hommes en sont sortis, souriants, joyeux. Ils ont serré la main à tout le monde. Le plus grand est retourné dans la voiture et l'autre, un petit avec un visage rond et sympathique, a dit : « Jeunes de Kaweni, je sais que vous souffrez de tout ce qu'on raconte sur vous, je sais que vous n'aimez pas cette mauvaise réputation que vous avez. Je sais que vous souffrez parce qu'il n'y a aucune infrastructure ici, qu'il n'y a rien pour vous, les jeunes, pour vous qui êtes l'avenir de Mayotte. Si vous votez pour moi, si vous faites voter pour moi, je vous promets qu'on n'appellera plus ici Gaza mais Paris ! Si vous votez pour moi, si vous faites voter pour moi, il y aura du boulot pour tout le monde ici ! »

On veut internet ! « Oui vous aurez internet, regardez, en face de Ga... de Kaweni, regardez toutes ces entreprises, toutes ces usines, tous ces supermarchés. On va aller faire du porte-à-porte, on va leur dire, on veut du boulot pour tous nos jeunes ! »

On veut des papiers ! « Tous les enfants qui sont nés sur le sol français sont français. Tous ceux qui peuvent prouver qu'ils ont un père mahorais avec une carte d'identité française sont français ! Tous ceux qui n'ont pas de papiers pourront avoir des cartes de séjour parce que les jeunes c'est notre priorité numéro un ! »

Et ainsi de suite. Les jeunes criaient quelque chose, n'importe quoi, à un moment ils ont même dit *On veut la sécurité*, et l'homme répondait *Oui vous aurez la sécurité !* Il était en sueur mais il souriait tout le temps. Ensuite, il a ouvert son coffre et il a sorti des sacs remplis de provisions. Bruce est apparu. L'homme l'a regardé en souriant et il a dit *Ah te voilà !* Ils se sont salués longuement. Ensuite, l'homme est monté dans sa voiture qui a démarré en douceur, le soleil est retombé sur la poussière mate et, dans la main de Bruce, il y avait des billets. J'ai aidé à porter tous les sacs jusqu'à l'arbre à pain et Bruce a fait le tri. Il y avait du pain, du sucre, de la farine, des pâtes, du coca, des biscuits, des conserves de légumes, des pots pour bébés, des paquets de couches. Lentement, tout Gaza, hommes femmes enfants bébés, a fait la queue sur les deux versants de la ravine et Bruce a distribué avec le sourire, en silence.

Les distributions avaient lieu deux ou trois fois par semaine, parfois plus à l'approche du premier tour. D'autres personnes sont venues, dans d'autres belles voitures, et certains parlaient français, d'autres s'exprimaient en shimaore mais tous donnaient des sacs de provisions et de l'argent à Bruce. Il y avait à boire et à manger, il y avait de l'argent pour l'herbe, les pilules, la cigarette. Bruce avait donné ordre aux petits de rester chez eux, interdiction d'aller mendier à Mamoudzou ou au centre commercial. Interdiction de voler les sacs à l'arraché aux feux de signalisation, de voler les portables au marché de Mamoudzou. Les cambriolages des maisons avaient cessé, seuls les petits larcins dans le marché clandestin au bord de la mangrove étaient tolérés. Il semblait parfois que même si les ventres étaient pleins, même si les têtes étaient endormies par l'herbe, certains ne résistaient pas à l'envie de descendre dans la mangrove et de voler un tee-shirt, un short, une paire de savates.

Après les élections, les voitures n'ont plus fait que passer sans s'arrêter. Le bruit et la fureur de Gaza se sont réveillés à nouveau. Nasse a été arrêté par les flics puis renvoyé à Anjouan, La Teigne a disparu pendant deux jours et a réapparu avec deux doigts en moins, les petits ont recommencé à mendier, à voler, à racketter, les cambriolages ont recommencé et, partout autour de Kaweni, se montaient des ateliers de ferronnerie et ils faisaient tous les mêmes choses : des grillages pour les portes et les fenêtres, des barres en fer à installer à l'intérieur des fenêtres et des portes, des pointes affûtées à placer en haut des murs de l'enceinte des maisons. Le business de la sécurité.

C'est à peu près à cette époque que l'élu souriant a monté l'association « En avant les jeunes » dans un local en haut de la colline.

Stéphane

J'erre dans le local de l'association, je ne suis pas rentré chez moi, je cherche quelque chose, je ne sais pas quoi, je cherche à saisir une main solide, je cherche un reste de moi-même pour m'y accrocher, ne doit-il pas subsister quelque part un relent de l'homme que j'étais, qui disait des grandes phrases telles que *Il n'y a pas de problèmes il n'y a que des solutions* ou *Quand on veut on peut* ou encore *Mens sana in corpore sano* ? Je colle mon corps dans un angle, je cogne ma tête une fois deux fois, je pleure. Je pense à Moïse. Où est-il en ce moment ?

Gaza se consume de l'intérieur depuis hier soir, depuis que Moïse a battu Bruce au mourengué. Toutes les maisons sont closes, il n'y a pas un adulte dehors, il n'y a que des adolescents, les yeux en feu, les mains écartées, la bouche ouverte, la tête lavée par la fumée du chimique. Moïse ne l'a pas seulement battu, il l'a écrasé et, quand il a crié son cri animal qui contenait toute sa colère, toute sa vie cassée, les tambours se sont tus et ce cri a traversé la foule.

Où est-il maintenant ? Comment a-t-il fait pour disparaître comme ça, devant cette foule ébahie de voir son roi à terre ? Il était là, le pied sur la gorge de Bruce, la bouche ouverte sur son cri animal, le poing levé. Puis il a disparu et Bruce était toujours à terre.

Je l'ai cherché un peu mais il y avait une telle tension dans l'air, les joueurs de tambours avaient disparu, la foule se dispersait avec hâte, même les petits suivaient leurs mamans sans se retourner et j'ai vu Bruce se relever, tituber. Je ne voyais pas son visage parce qu'il gardait la tête baissée, les mains dans ses cheveux. Je suis alors remonté aussi vite que possible vers le local. En arrivant, j'ai regardé si le sac à dos marron de Moïse était toujours dans la cache sous la terre, à côté du compteur d'eau. Il n'y était plus. Pendant un instant, ça m'a soulagé, ça voulait dire qu'il avait pu remonter ici, ça voulait dire qu'il était encore vivant, qu'ils ne l'avaient pas encore eu. Puis j'ai eu comme un mauvais pressentiment, j'ai vite ouvert la porte, je suis allé directement dans le bureau, j'ai claqué ma main sur l'interrupteur. Le néon a grésillé et clignoté plusieurs fois avant de s'allumer mais j'ai vu que le tiroir avait été forcé et je savais que je n'y trouverais pas le pistolet.

Je n'ai pas eu le temps de réfléchir davantage car j'ai entendu la grille grincer et des pas s'avancer rapidement sur le gravier. J'ai refermé le tiroir avec mon pied et, en revenant dans la grande salle, j'ai appuyé sur tous les interrupteurs de sorte que, quand Bruce et trois autres gars sont apparus sur la terrasse, j'étais en pleine lumière jaune et crue. Ils m'ont demandé si Mo était là, j'ai secoué la tête. J'avais peur, mon cœur battait comme les tambours, j'avais encore le souvenir de la dernière fois quand ils étaient venus ici.

Bruce est resté dehors tandis que les trois sont entrés pour chercher Mo. Je distinguais vaguement la silhouette de Bruce dans la pénombre mais je savais que lui me voyait parfaitement et j'espérais que, dans chacun des traits de mon visage, il puisse lire ma haine et mon dégoût. Il n'a pas bougé, moi non plus.

Après leur départ, j'ai tourné en rond, j'ai ressassé mille choses, j'ai pensé au meilleur, j'ai pensé au pire, j'ai attendu et, au fond de ma gorge, il y avait un goût âcre de fumée. J'ai fini par m'endormir.

J'ouvre la porte de la petite cuisine qui donne sur la terrasse. Chaque matin, mes yeux plongeaient dans le vert des arbres, le roux des cases et enfin le bleu du lagon. Je serpentais en esprit dans les S des passes et je nageais avec les dauphins. Chaque matin, ce paysage magnifique et irréel sur la baie de Mamoudzou suffisait pour me donner de l'énergie, et j'oubliais la lie, j'oubliais la violence, j'oubliais la fange. Mais aujourd'hui, je ne vois qu'un bidonville, je n'entends que la colère, je ne vois que la mer violée par les morts et le sang et je voudrais fouiller cette lie, retourner cette violence peau à l'envers, je voudrais plonger dans la fange pour retrouver Mo.

Je reste ici, en espérant revoir Mo comme je l'avais vu ce premier jour de l'autre côté de la rue, debout, immobile, la casquette enfoncée sur la tête, une main tenant la lanière de son sac à dos, l'autre main dans une poche. C'était il y a quelques mois, je venais d'arriver à Mayotte dans le cadre de mon année de bénévolat avec l'ONG C. Ma mission était d'ouvrir une maison pour les jeunes de Kaweni. On m'avait dit que ça ressemblait à une cité : les jeunes qui traînent, qui traficotent, qui macèrent dans l'ennui, le manque de perspectives d'avenir, zéro boulot, drogue à gogo. Le local était déjà trouvé, il manquait les idées. J'avais vingt-sept ans et nous n'étions que deux à être volontaires pour venir ici. Mayotte, c'est la France et ça n'intéresse personne. Les autres voulaient aller en Haïti, au Sri Lanka, au Bangladesh, en Indonésie, à Madagascar, en Éthiopie. Ils voulaient de la « vraie » misère, de la misère centenaire ancrée comme une mauvaise racine, des pays « où c'est chaud », des endroits où les tempêtes succèdent aux guerres, où les tremblements de terre suivent les sécheresses. Le nec plus ultra, celui qui en jette sur le CV, restait Gaza, le vrai Gaza en Palestine je veux dire, mais c'était réservé aux plus expérimentés.

Moi, je voulais juste partir et j'ai donc signé pour Mayotte.

Quand Chebani, un pompier de la brigade de Mamoudzou qui était également bénévole à l'ONG C, m'avait fait visiter Kaweni avant de me montrer le local, je me souviens d'avoir pensé *Mais c'est un bidonville ici.* Comme s'il avait entendu ma pensée, il s'était tourné vers moi et m'avait dit *Tu ne t'attendais pas à ça hein ?* Je marchais derrière lui et nous avons croisé un bébé qui geignait comme un petit chien. Son bras gauche était brûlé, recouvert de croûtes noires et, par endroits, il y avait des cloques roses. Il ne pleurait pas, il ne criait pas, il était assis par terre, il geignait comme un petit animal blessé. Une femme habillée d'un grand tissu marron et rouge est sortie de la case tout en continuant à s'adresser vivement à quelqu'un qui était resté dans la case. Elle n'a pas pris le petit dans ses bras mais s'est assise sur le muret à côté de lui. Le bébé a alors enfoncé sa tête dans les jambes recouvertes de ce tissu marron et rouge sans cesser de geindre. J'ai alors dit la chose la plus stupide de ma vie *Mais c'est la France ici quand même !* et Chebani a tellement ri qu'il en a eu les larmes aux yeux. Plus haut il m'a montré un groupe de jeunes assis sous un arbre à pain et, derrière eux, il y avait un mur sur lequel était tagué en vert GAZA. J'ai fait une photo et je l'ai envoyée à quelques amis à Paris. La bonne blague.

Avec deux membres de la mission locale,

Roukia et Toyba, deux Mahoraises d'une vingtaine d'années qui avaient longtemps vécu à La Réunion, nous avions décidé de faire de ce local un lieu où les jeunes pourraient venir lire, regarder des films, écouter de la musique, jouer à des jeux de société. Nous n'avions pas de connexion internet mais nous avions cette maison jaune clair sympathique, ouverte, entourée de bougainvillées fuchsia ; nous avions toute une gamme de musique, pop, rap, trap, R&B, variétés, les séances de cinéma les samedis soir, les tournois de dominos et autres activités ludiques et éducatives qui aideraient les jeunes à sortir de leur « ennui ». Plus tard, nous donnerions peut-être des cours d'alphabétisation pour ceux qui étaient intéressés. Voilà à peu près le contenu du premier rapport que j'ai envoyé au bureau à Paris.

Il nous a fallu deux bonnes semaines pour tout installer, les livres, la belle chaîne hi-fi, le rétroprojecteur et quelques jeunes sont passés voir. J'étais content, j'avais appris quelques mots en mahorais : *kwezi, wawe ouhiriori bani, jeje bweni, marahaba, ewa,* « bonjour, comment t'appelles-tu, bonjour madame, merci, oui », et mon accent les faisait rire mais jamais ils ne discutaient avec moi. Chebani m'avait dit de faire gaffe « aux petits cons » mais je ne voulais pas écouter les autres, leur cynisme, leur avis sur tout, leur jugement. Je voulais faire autrement, ne plus incarner le cliché de l'humanitaire baroudeur aigri.

Le nouvel élu, un petit homme au visage

sympathique et souriant, a inauguré le local un jeudi soir. Il a fait un discours devant une cinquantaine d'invités et peu de jeunes. Il y avait deux caméras de télé, des femmes qui chantaient joyeusement en shimaore en tapant sur deux bouts de bois. Ça m'a fait penser aux claves de mon enfance, quand j'étudiais le solfège au conservatoire, et j'étais heureux, persuadé que j'allais faire du bon travail ici. Le lendemain, j'ai organisé une séance de cinéma à l'extérieur avec le rétroprojecteur qui projetait sur un grand drap blanc. J'ai choisi *Goldfinger* et la cour, la rue, le versant de la colline étaient bondés de monde, de chiens, de chèvres.

Pendant quelque temps, l'association « En avant les jeunes » a marché du feu de Dieu. Je recevais régulièrement la visite de l'élu qui déambulait dans la cour, les mains croisées dans le dos comme si tout ça, la maison, le jardin, la colline et toutes les cases qu'on voyait, lui appartenait.

Je me tenais à l'écart des conversations sur les clandestins, sur les cambriolages, sur l'insécurité. Je vivais à Combani, au centre de l'île, dans un petit appartement au-dessus d'un atelier de ferronnerie. C'était la campagne, avec des arbres immenses aux troncs cannelés qui donnaient des fruits à l'aspect préhistorique : énormes et tordus. Derrière la maison, il y avait un grand potager et, devant la maison, les femmes vendaient leurs légumes et dormaient à côté, sur des palettes. J'avais acheté une moto et je me promenais souvent dans l'île. Le samedi soir, je sortais avec une bande de copains rencontrés çà et là, il y avait des sages-femmes, des infirmiers, des jeunes entrepreneurs, des instituteurs, tous des jeunes comme moi, tous blancs comme moi, des théories plein la bouche et pas une once de courage dans les mains. Refaire le monde en faisant griller du poulet sur les plages, aller danser en boîte, tirer un coup vite fait, prendre des bains de minuit, se réveiller à midi au son du muezzin, aller plonger dans le plus beau lagon du monde, profiter au maximum en sachant qu'ici n'est qu'un passage dans nos carrières. Bientôt, dans un an, deux ans, trois au grand maximum, nous rentrerions les poches gonflées de nos primes, les mains toujours dans le dos et la bouche toujours remplie de grandes théories.

Mais, un jour, j'ai vu Mo et il suffit parfois d'un moment de vérité pour que tout bascule.

Il se tenait de l'autre côté de la rue poussiéreuse et me regardait ouvrir les cartons de livres que l'association venait de recevoir. Je ne l'avais jamais vu avant, j'en étais sûr parce qu'il avait quelque chose, Mo, quelque chose que n'avaient pas les garçons d'ici qui se baladaient toujours par deux par trois, je ne saurais l'expliquer correctement. Comme s'il était là mais que, si on clignait des yeux, il pouvait disparaître.

Je me suis redressé : voulait-il m'aider à rentrer les livres ? Il est resté un moment contre le versant de la colline, cette colline broussailleuse couleur terre, et je me souviens d'avoir mis ma main en visière, de m'être demandé si je n'avais pas rêvé. Mais non, il s'est détaché de cette colline et lentement il s'est approché. Il était grand et très maigre. Il a gardé son sac sur le dos, sa casquette sur la tête et il a commencé à défaire les cartons et à rentrer les livres. J'ai remarqué un bout de la cicatrice sur son visage mais, comme il gardait sa casquette, je n'en ai pas vu plus. Il n'a pas dit un mot, travaillant en silence, avec une économie de gestes. Après, nous avons plié les cartons et c'est à ce moment que j'ai entendu sa voix pour la première fois. Il m'a demandé, dans un français parfait et avec une voix enrouée comme s'il n'avait pas parlé depuis longtemps *Est-ce que je peux garder un carton s'il vous plaît?*

Je ne sais pourquoi cette voix m'a brisé le cœur, je le dis sans gêne. J'ai hoché la tête vivement en répétant *Bien sûr bien sûr, tu peux en prendre autant que tu veux*. Il a dit merci et il est parti.

Mo est revenu plusieurs fois, toujours un peu après le déjeuner quand Gaza se vide de ses habitants et qu'il fait trop chaud pour traîner. Il m'aidait s'il y avait quelque chose à faire mais souvent je le laissais tranquille et il s'asseyait avec son livre, toujours le même, *L'enfant et la rivière*, une main sur son sac à dos marron, la casquette toujours vissée sur la tête. Vers seize heures, il cornait une page, se levait, venait me trouver là où j'étais, tendait la main, en disant merci avec sa voix toujours enrouée. J'ai essayé une fois ou deux de lier une conversation mais il gardait la tête baissée et les mains accrochées aux lanières de son sac. J'ai laissé tomber, me souvenant de ce qu'on nous avait dit au bureau central à Paris : être à l'écoute mais ne pas se mêler.

De toute façon, les journées passaient vite dans un mélange de chaleur, de poussière, de bruit. Les adolescents eux-mêmes, ceux que l'administration qualifiait d'« isolés », restaient à distance. Quand je venais travailler le matin, j'en voyais certains à l'entrée du quartier, sous l'auvent d'une épicerie ou un peu plus loin, sous un abri en dur. Ils me regardaient passer sans aucune expression sur le visage, le corps en avant, dans un état second, et je savais qu'ils avaient dormi là, ou essayé de dormir là. Parfois, en fin de matinée, je les revoyais, les mêmes ou presque, assis, la tête sur la poitrine, écrasés par les joints et la chaleur.

Un jour l'élu m'a invité à un mourengué. Il m'a dit que c'était une pratique ancestrale de combat et je ne sais pas pourquoi j'ai cru qu'il s'agissait d'une variante de la capoeira. Il avait l'air content du travail de l'association, me disant que la délinquance avait baissé, que les gens avaient moins peur de passer par Gaza et que, d'ailleurs, il ne fallait plus appeler ce quartier Gaza, il fallait qu'il reprenne son vrai nom, Kaweni.

Il y avait déjà des joueurs de gomas, les

tambours locaux, et un haut-parleur qui diffusait de la musique traditionnelle bien rythmée. La nuit était tombée mais la chaleur persistait. Un homme s'est avancé, avec un sifflet autour du cou, et les tam-tams ont commencé. Puis deux jeunes garçons l'ont rejoint, ils étaient torse nu, et, au signal, ils se sont jetés l'un sur l'autre, en lançant les bras et les jambes sans véritable technique. Celui qui tombait à terre en premier perdait la partie, rentrait dans la foule, penaud, et l'autre faisait quelques pas de danse, rythmés par les gomas et même le sifflet de l'arbitre. Il y a eu plusieurs tours comme ça. La foule riait de bon cœur, applaudissait facilement et parfois les combattants se mettaient à danser, c'était joyeux, drôle, festif. Puis est arrivé ce jeune homme. Je ne l'avais jamais vu avant mais la foule a commencé à crier d'une façon plus grave qu'avant, plus sérieusement presque, et les cris ont recouvert le tambourinement des gomas. Il y avait un petit garçon à côté de moi et je lui ai demandé *C'est qui lui?* Il m'a répondu, les yeux brillants *C'est Bruce, c'est le chef de Gaza, il gagne tous les mourengués.* Le gagnant du tour d'avant, un jeune homme trapu, s'est avancé en dansant. Il avait les yeux fermés, comme s'il était en transe. Bruce s'est approché, derrière lui il y avait un groupe de jeunes, je reconnaissais certains pour les avoir vus pendant les séances de cinéma en plein air. L'atmosphère n'était plus joyeuse mais tendue, inquiète. L'arbitre a sifflé et le combat a commencé. Bruce était très fort, il donnait des coups de tête et des coups de poing, il visait bien, travaillait son élan et sa puissance. Son adversaire ne se laissait pas faire mais son visage saignait tandis que les coups pleuvaient sur lui. Soudain, Bruce a lancé un coup de pied qui a atteint l'autre au ventre. Le combattant trapu est tombé à terre. Contrairement aux autres gagnants, Bruce ne s'est pas mis à danser mais il s'est rapproché de son adversaire au sol, s'est penché vers lui et a fait mine de lui lancer un coup de poing dans le visage. Le jeune homme trapu a ramené les genoux sur la poitrine et s'est mis en position fœtale. La foule s'est tue, seuls les gomas continuaient et j'avais tout à coup l'impression d'être dans un lieu différent, un lieu sorcier, avec des règles que je ne comprenais pas. Bruce s'est relevé, il a tendu le bras en l'air et la foule a hurlé de joie.

J'ai reculé lentement tandis que la foule se rapprochait du gagnant. Je me sentais oppressé, mal à l'aise. Soudain, de l'ombre d'un arbre, est sorti Mo. J'ai sursauté comme un idiot. Il m'a tendu la main en disant *Bonsoir* mais j'ai eu peur, je ne lui ai pas serré la main, je me suis éloigné de lui puis j'ai carrément couru jusqu'au local. J'ai enfourché ma moto et je suis parti comme un voleur. J'ai roulé jusqu'à chez moi sans m'arrêter et, plus l'air se rafraîchissait sous l'ombre nocturne des grands arbres de la campagne, plus j'avais honte. Ce gamin avait à peine quinze ans !

J'ai passé le week-end chez moi, ignorant les

appels de mes amis pour aller nager, plonger ou manger. Je n'arrêtais pas de repenser à la façon dont Mo s'était détaché de l'arbre et à son salut si poli. Voulait-il me dire quelque chose? Voulait-il me demander quelque chose? Et moi, qu'ai-je fait? J'ai détalé comme si j'avais vu le diable.

Il était prévu que je passe une semaine à Kani Keli, au sud de l'île, pour monter une autre association de jeunes un peu sur le même principe que la nôtre. Lundi, je suis passé au local à Gaza et j'ai attendu que Chebani vienne me déposer une voiture pour aller à Kani Keli. Il prendrait, lui, ma moto. Il est arrivé à dix heures au volant d'une vieille Clio grise, il m'a dit *Tu as ton permis auto au moins* et, sans attendre la réponse, il s'est mis à rire et a enfourché ma moto.

Peut-être que j'avais cette idée depuis vendredi soir, depuis que je l'avais laissé là, dans le noir, peut-être qu'un regret a mené à un autre mais, quand j'ai vu Mo assis sur les marches d'une maison fermée, dans un virage du quartier, j'ai ouvert la porte de la Clio que je conduisais avec prudence dans les rues étriquées de Gaza et je lui ai dit *Tu viens faire un tour?* Il est resté assis et j'ai insisté *Allez! viens!*

Il s'est levé, a remonté un peu la lanière de son sac, tiré sur sa visière pour que la casquette s'enfonce un peu plus sur son visage et il est entré dans la voiture. Il sentait la sueur et les vieux vêtements, ses jambes avaient la couleur de la cendre. Il a placé son sac à ses pieds, mis sa ceinture de sécurité et j'ai passé la première.

Dix minutes plus tard, on était à peine à Mamoudzou, et Mo dormait, ronflant doucement comme un enfant épuisé.

Moïse

Quand je suis entré dans cette voiture, il y avait le ronronnement de la clim, la douceur du siège dans mon dos, le tapis sur lequel j'ai fait aller et venir mes pieds. Stéphane ne disait rien, il conduisait avec prudence, sans musique et en silence, c'était agréable. J'ai senti tout mon corps lâcher, mes paupières s'alourdir et je n'ai même pas lutté.

Au réveil, j'étais seul dans la voiture. J'ai sursauté, vérifiant d'abord mon sac et ma cicatrice. Je fais toujours ça au réveil, je ne sais pas pourquoi. Je sais qu'elle sera toujours là mais je ne peux m'empêcher de vérifier cette ligne boursouflée qui me traverse le visage. Peut-être que chaque matin j'ai l'illusion d'être revenu avant, d'avoir fait un bond en arrière dans mon propre passé et que cette cicatrice n'est qu'un mauvais rêve. Ou peut-être que j'ai peur qu'elle grandisse, qu'elle s'allonge, qu'elle ferme définitivement mon œil et fasse le tour de ma tête et de mon corps comme dans ce cauchemar fréquent où la moustiquaire de mon lit devient un serpent, m'entoure et m'étouffe.

La voiture était garée à côté d'une maison, à l'ombre d'un flamboyant. J'ai regardé autour de moi, il n'y avait personne. Je suis resté un moment sans savoir que faire, peut-être que Stéphane allait revenir d'un instant à l'autre? Le jardin était clos par une haie de bambous. Il y avait quelques arbrisseaux dans la cour, au fond, des plantes en pot çà et là, quelques jouets d'enfants aux couleurs vives. Rouge, vert, jaune.

Je suis sorti prudemment de la voiture et j'ai gardé une main sur la portière ouverte. L'air était chaud mais ce n'était plus la fournaise de Gaza. J'ai humé l'air mais il y avait l'odeur de rien. C'était si bon. J'ai entendu des oiseaux au-dessus de moi et plus loin aussi, au fond du jardin, de l'autre côté de la haie de bambous, derrière moi et au-delà et partout, les oiseaux gazouillaient.

J'ai enlevé ma casquette, j'ai lâché la portière de la voiture, j'ai levé mon visage vers le flamboyant. Le ciel, à travers les feuilles et les branches, était comme un tableau bleu, vert, marron, un tableau qui bougeait avec le vent ou c'était moi qui tanguais un peu peut-être. J'ai fermé les yeux. J'aurais voulu pouvoir voler, regarder ce foutu monde de haut, de très haut, être inatteignable, inattaquable, invincible, invisible. J'aurais aimé être un homme oiseau, non j'aurais aimé être un oiseau tout court et piailler ici et partout. J'ai imaginé mes os et mon corps rétrécir, mes pores s'ouvrir pour laisser sortir des plumes vertes du même vert que mon œil, j'ai senti ma cicatrice disparaître, mes yeux s'arrondir et devenir hypermobiles, mon visage s'allonger, ma bouche se transformer en un bec pointu, noir et luisant, mon cerveau se ramasser en un petit pois, mes souvenirs s'envoler en fumée, mes pattes décoller, mes ailes s'ouvrir et alors, je vole, je me pose sur la grande branche solide et épaisse du flamboyant. Je suis léger et puissant à la fois. Je chante. J'allume le soleil, je suis faiseur de pluies, je fais des merveilles.

Quand j'ai ouvert les yeux, Stéphane était devant moi et me dévisageait. Il m'a demandé *Qui t'a fait ça*, en pointant le côté droit de mon visage. Sa voix était dure, une voix haut perchée, différente de celle qu'il a d'habitude, et peut-être que j'étais fatigué de me cacher, peut-être que j'en pouvais plus de cette casquette, peut-être que c'est le tranchant de sa voix, peut-être que j'étais encore un oiseau qui ne sait pas mentir, j'ai dit *C'est Bruce qui m'a fait ça.*

Il a inspiré très fort puis il a ouvert la bouche comme s'il allait parler et je ne voulais pas entendre sa pitié, ses questions mais il m'a simplement demandé si j'avais faim et, soulagé, j'ai dit *Oui*.

Nous avons marché vers le restaurant et Stéphane m'a dit alors que nous étions à Kani Keli. *Tu connais, Mo, tu es déjà venu ici?*

J'ai haussé les épaules. J'ai pensé comment j'avais supplié Marie de m'emmener ici, dans le Sud, et elle refusait, elle disait *Tu n'es pas encore prêt!* Est-ce que je suis prêt maintenant? Je ne sais pas. Comment dire à Stéphane que je suis arrivé, bébé, dans les bras de ma mère, sur un kwassa kwassa à quelques kilomètres d'ici, à Bandrakouni, et que dans ma tête tout se mélangeait désormais. J'avais tellement rêvé cette plage mais maintenant que j'en étais si proche, je ne savais plus ce que je voulais, je ne savais plus ce qui était bon pour moi.

Stéphane ne comprendrait jamais ces choses-là. Je ne le juge pas, j'en ai vu des gars, comme lui, passer quelques mois à Gaza, je ne sais pas quel est leur but, je ne sais pas s'ils croient vraiment que quelques séances de cinéma, quelques matchs de foot ou du pop américain suffiront à nous faire oublier la misère, la crasse et la violence. Ils connaissent plein de choses ces gars-là, ils connaissent les chiffres de la misère, ils connaissent les statistiques de la délinquance, ils étudient les graphiques de la violence, ils ont des mots comme culture et loisirs à la bouche mais ils ne comprennent jamais rien, en réalité. Il n'y a qu'un gosse des rues pour savoir ce que c'est que la joie de trouver une vieille brosse à dents par terre, de la laver à la ravine et de passer un vieux savon dessus, un vieux savon tellement dur tellement strié de marques noires que c'est comme un caillou mais on le frotte quand même et après on va dans un coin parce qu'on ne veut pas que quelqu'un d'autre nous vole cette brosse et on se lave les dents avec, on tourne et retourne la brosse dans notre bouche comme si c'était un bonbon au miel et, la joie de cela, il n'y a qu'un gosse qui vit dans la rue pour savoir. Il n'y a pas de séance de cinéma ou de match de foot qui pourrait égaler le fait de posséder quelque chose, un objet qui ne soit rien qu'à soi, même si ce n'est qu'une vieille brosse à dents.

Je n'aime pas trop me souvenir de cette semaine à Kani Keli. C'est comme si on m'avait fait jouer dans un film où j'avais le rôle d'un jeune garçon ordinaire, sans histoires. J'aidais Stéphane à remettre en état la petite maison qui accueillerait bientôt une association comme « En avant les jeunes ». Il me disait de laver, je lavais. Il me disait de gratter la peinture, je grattais. Il me disait de peindre, je peignais. Il me disait de balayer, je balayais. Il me disait de maintenir les étagères pendant qu'il les fixait au mur, je les maintenais. Quand il travaillait sur son ordinateur, j'ouvrais mon exemplaire de *L'enfant et la rivière* et je le relisais pour la millième fois mais qu'importe. Quand il y avait de la visite, je restais dans mon coin, à nettoyer, à gratter, à peindre, à laver, à lire et les gens ne s'occupaient pas de moi. Quand Stéphane me parlait, je l'écoutais mais ces paroles ne rentraient jamais en moi, c'était comme de la pluie sur ma peau, ça coulait ça coulait et, à mes pieds, il y avait une grosse flaque de mots. Quand il me disait de me reposer, j'allais dans le jardin m'asseoir sous le flamboyant. Il me disait va te promener, va prendre l'air, va sur la plage mais je restais sous le flamboyant, j'écoutais les oiseaux et j'imaginais que je volais autour du tronc et que mes ailes battaient si vite que les couleurs sur mes plumes se mélangeaient. Quand Stéphane me demandait pourquoi je lisais toujours le même livre, je haussais les épaules parce que je ne voulais pas lui expliquer que ce livre-là était comme un talisman qui me protégeait du monde réel, que les mots de ce livre que je connaissais par cœur étaient comme une prière que je disais et redisais et peut-être que personne ne m'entendait, peut-être que ça ne servait à rien mais qu'importe. Ouvrir ce livre c'était comme ouvrir ma propre vie, cette petite vie de rien du tout sur cette île, et j'y retrouvais Marie, la maison et c'était la seule façon que j'avais trouvée pour ne pas devenir fou, pour ne pas oublier le petit garçon que j'avais été.

Je parlais peu, je pensais peu, je faisais ce qu'il me disait de faire parce que j'ai compris cette semaine-là que je n'étais bon qu'à ça. Bruce m'avait entraîné à être un bon chien et, cette semaine-là, j'avais été un bon chien propre et bien nourri.

Dans la matinée de jeudi, Stéphane a collé au mur une grande carte de Mayotte et il a enfoncé une punaise rouge à l'endroit où nous étions, Kani Keli. Je me suis approché et j'ai vu, à un index de là, un peu plus bas, Bandrakouni. J'ai fixé ce nom qui était à la fois mystérieux et familier. Soudain, par magie, il s'est détaché de la carte, lettre après lettre, B A N D R A K O U N I, et elles se sont approchées de moi, comme des guêpes enragées, elles étaient sur mon visage, sur ma cicatrice, je voulais les chasser mais elles s'enfonçaient dans ma peau et j'ai commencé à crier...

J'étais allongé sur un matelas dans le salon et dehors la lumière était blanche comme un linge. J'avais mal à l'œil droit, ma cicatrice palpitait. J'ai posé une main dessus en espérant l'apaiser. Stéphane était là mais il ne disait rien. J'ai été soulagé de ne pas être seul, de ne pas être sur la colline de Gaza, de savoir que Bruce était loin. J'ai laissé ma main sur mon visage, j'ai attendu un peu et, ensuite, j'ai dit à Stéphane que j'aimerais bien aller sur la plage de Bandrakouni. Il m'a dit simplement *O.K.*

Je croyais que rien ne serait plus jamais beau à mes yeux, que rien ne pourrait me réveiller de cette torpeur dans laquelle j'étais plongé depuis la mort de Marie. Stéphane m'a dit qu'il me déposerait à Bandrakouni le temps pour lui d'aller rendre visite à un ami. Dans la voiture qui roulait au pas, j'ai regardé la mer magnétique qui déployait son bleu, son émeraude, son vert, son opaline. À gauche nous pouvions voir le mont Choungui. Dans les pâturages, de vieux congélateurs servaient d'abreuvoirs aux animaux. Sur le bord des routes, des hommes et des femmes marchaient, panier sur la tête, bâton ou coupe-coupe à la main. Le ciel était sans nuages et, à travers ce paysage idyllique, quelque chose gonflait mon cœur. Quel était ce pays si doux, si beau ? Quel était ce pays qui m'avait oublié ?

C'est là, a dit Stéphane en arrêtant la voiture sur le bas-côté. Je suis descendu, il a démarré aussitôt.

C'était là, donc. J'ai emprunté un sentier ombragé bordé de buissons, où voletaient de minuscules papillons, et de grands arbres, des eucalyptus, des manguiers. Leurs branches faisaient des lacets au-dessus de ma tête, j'entendais la mer, j'entendais les oiseaux, chacun de mes pas faisait craquer les feuilles sèches. C'était là.

Je suis arrivé à une petite baie en forme de croissant de lune et sous mes pieds, désormais, un sable noir, aussi noir que ma peau. Derrière moi, comme protégeant l'île et encerclant la baie, plusieurs baobabs. Dans leur tronc, m'avait-on appris à l'école, il y a toujours un creux. Je ne sais pas à quoi sert ce creux.

J'ai marché de long en large, j'ai fait le tour des baobabs. Au pied de l'un deux, il y avait des bûches brûlées et un tas de cendres grises. Ici, on venait faire des grillades, on venait nager, manger, s'amuser, on ne venait pas ici comme moi, avec l'angoisse au ventre, avec l'envie de retrouver je ne sais quoi, avec l'espoir que cette plage réponde à toutes les questions, comble tous les vides, éclaire toutes les ombres.

Que devais-je faire maintenant ? Je suis resté immobile, écoutant le bruit des vagues fines, le chuintement qui venait des rochers, le chant aigu des oiseaux. J'étais enfin revenu là où tout avait commencé mais ce n'était qu'une plage. Il y a quinze ans, ma mère est descendue ici même avec d'autres clandestins mais il n'en restait rien aujourd'hui. La mer avait effacé leurs traces sur le sable noir, le vent avait repoussé vers le large leurs cris. J'aurais voulu pouvoir dire que j'ai vu un signe, que j'ai reconnu un chant particulier des oiseaux, que l'on m'a chuchoté une phrase sage et réconfortante à l'oreille, que j'ai interprété une marque sur le tronc d'un baobab, que j'ai été moins seul, toutes ces choses magiques que j'ai imaginées et nourries dans ma tête quand je pensais à cet endroit. Bandrakouni.

Les vagues fines et ourlées venaient déposer leurs colliers d'écume autour de mes chevilles. Je suis entré dans la mer. Mon corps s'est étiré dans l'eau, mes doigts se sont refermés, mes jambes ont commencé à battre en ciseaux et les gestes appris il y a longtemps sont revenus. Respirer, avancer, respirer, avancer. Je nageais sans bruit, sans penser à grand-chose d'autre sauf à la position de mes bras et de mes jambes, à la façon dont ma tête devait affleurer la surface pour faciliter la respiration. Peut-être que, si j'avais été plus fort, plus intelligent, j'aurais nagé jusqu'à un autre rivage et j'aurais essayé de vivre une autre vie, autrement, différemment. Mais pour les garçons comme moi qui ont toujours peur, qui ont vécu dans le tout et qui n'ont tout à coup rien, on retourne comme un agneau vers son prédateur.

Quand je suis revenu sur le rivage de Bandrakouni, j'ai réalisé que j'avais à peu près l'âge de ma mère quand elle avait débarqué sur cette plage de sable noir encerclée de baobabs. Avait-elle eu peur dans la nuit, pendant la traversée ? Est-ce que j'avais pleuré ? Savait-elle qu'il y a un creux dans les baobabs dans lequel elle aurait pu me glisser ? Je me serais endormi, puis je serais mort dans ce creux-là et j'aurais été un peu cet arbre, invincible, admirable. C'est une vie magnifique que d'être un baobab sur une plage.

Bruce

T'as toujours cru que tu étais différent de nous autres. T'avais cette chose en toi que j'arrivais pas à toucher, à faire plier, à éteindre. Parfois quand je te voyais assis, immobile comme une pierre, j'avais envie de te secouer, de te dire que ça ne servait à rien de rester comme ça, les garçons comme toi et moi, c'est fait pour cogner la vie, pour rentrer dedans, pour crever sans regrets. Pas de pitié, Mo. Pas de pitié. T'es comme nous autres, Mo. T'es noir, t'es seul, t'es coincé ici, t'es à la rue.

Je savais que tu passais tes après-midi là-haut dans le local de ce bouffon blanc qui ressemble à rien. Sa peau est si pâle qu'on dirait qu'il est déjà mort, il est maigre comme un pilon et qu'est-ce qu'il soûle avec ses paroles et ses matchs de foot. Avant chaque séance de cinéma, il se croit obligé de raconter un millier de trucs sur le comédien ou sur celui qui a fait le film ou même de raconter le film, il est con lui ou quoi ?

Je pensais que tu regardais la télévision dans

leur salon mais non, *tu lis*. Tu ne fais que ça, t'asseoir et lire. J'ai laissé faire, de toute façon je te gardais sous le coude comme je garde chacun de mes lieutenants sous le coude. Je me disais qu'un jour tu allais me servir à quelque chose. Je savais que tu étais malin, le djinn ne choisit pas les idiots et les faibles, Mo, crois-moi. Je savais, moi, que tu n'avais pas perdu la tête, je savais que tu n'étais pas devenu fou, je savais qu'il fallait se méfier de toi. Mais tu te tenais tranquille, tu venais quand je t'appelais, tu faisais ce que je te disais de faire et peut-être que j'aurais dû mieux te surveiller.

T'avais choisi ton moment, hein. J'étais trop bien ce week-end-là, j'avais battu ce bâtard d'Abdallah au mourengué. C'était le champion de M'tsapéré et il s'est cru assez malin et assez fort pour venir me défier chez moi. CHEZ MOI ? Tu te souviens comment il a pleuré sa mère par terre ? On a bien bu, on a bien fumé, on a bien dansé ce week-end-là, on est allé au Ninga le samedi soir et on n'a pas pu rentrer comme d'habitude. Le vigile ce connard d'Africain qui est venu ici sur un kwassa comme un malheureux crevard, mais qui se prend maintenant pour un Américain dans son costume noir. J'avais assez d'argent pour baiser et ma bite me démangeait tellement j'avais envie. J'en avais assez des chèvres qui bêlent, j'étais le roi oui ou merde. J'ai donné des billets à La Teigne, à Rico, à Nasse, qui était revenu d'Anjouan en kwassa, et ils ont tous baisé dans les buissons, devant derrière et après on est allés laver nos bites dans la rade de Mamoudzou. J'étais bien. Dimanche, pareil. J'avais assez de thune pour acheter un carton de poulet et Nasse a grillé tout ça bien comme il faut, piment, manioc, tout Gaza sentait les brochettis mama, la fumée bleue qui attirait tous les gamins c'était la fête. Bruce était le roi, c'était trop bon. Tu sais bien, t'as mangé ta part comme tout le monde.

Et lundi, qu'est-ce que j'apprends, t'es parti avec le Blanc dans une voiture grise. Genre il a ouvert la porte, tu es entré, il t'a même pas forcé. C'est pas un flic tu sais.

T'avais choisi ton moment, hein. Tu savais pas comment ça marche chez moi, CHEZ MOI ? Ça faisait combien de temps que t'étais ici, hein, un an déjà, tu savais pas qu'il faut me demander la permission avant de sortir de Gaza ?

Lundi, mardi, mercredi, t'étais toujours pas là, Nasse m'a dit que t'étais à Kani Keli avec le Blanc, qu'est-ce que tu foutais à Kani Keli putain. J'aurais dû m'en foutre de toi mais je n'y arrivais pas. Je devenais dingue quand je pensais à ce que tu faisais avec le muzungu. T'étais devenu sa petite femme ? T'étais devenu sa petite sousou noire préférée ? Tout le monde me soûlait, La Teigne, Rico, Nasse, les petits, ils me regardaient tous comme toi tu me regardes jamais, à attendre ce que je vais décider, à attendre la becquée.

Et je voyais bien qu'ils pensaient que je m'inquiétais trop pour toi. Un roi ne peut pas se permettre ce genre de faiblesse. Un roi ne peut pas laisser des choses comme ça arriver sur son territoire. Fallait que je reprenne la main.

Jeudi, j'ai fait un tour dans les rues de Gaza à la tombée de la nuit, les gars m'ont donné ce que les petits avaient ramassé, ils m'ont dit qu'ils avaient plus de joints, plus de cigarettes, plus de chimique. Certains fumaient des feuilles de mangrove tellement ils étaient en manque. *Tss.* J'aimais pas ça. Ils avaient les yeux petits et secs, la bouche ridée et ils m'appelaient tous, *Bruce, Bruce*, sautillant autour de moi comme des chiens affamés. J'ai fait descendre mon stock, y avait plus grand-chose mais ça a un peu calmé la foule. Il fallait que ça bouge, j'avais envie de feu, de bruit, Gaza était trop tranquille depuis les élections. Dans la nuit, j'ai décidé d'aller rendre une petite visite au local de l'association. J'ai pris La Teigne et Rico avec moi.

Le bouffon. Il avait mis une chaîne pourrie, deux cadenas. Il croyait qu'il était à l'abri, que le politicien le protégeait avec ses paroles sucrées comme du miel mais, ici, c'est moi qui décide qui est à l'abri et qui ne l'est pas. Avec un pied-de-biche on a fait sauter tout ça sans bruit et, pendant deux heures, nous avons déménagé tout le matériel sans que personne ne vienne nous déranger. La télé, le rétroprojecteur, la chaîne hi-fi, l'ordinateur, les dvd, les cd. On a sorti les livres et j'ai failli y mettre le feu mais après j'ai pissé dessus, Rico et La Teigne ont sorti leur queue et nous avons arrosé tout ça bien joli joli.

Vendredi, le politicien est venu avec sa Nissan cash cash gris métallisé pour la prière et je lui ai dit que le Blanc était parti avec un de mes amis. Il m'a regardé comme si j'avais parlé en chinois. Je me suis approché de lui, il sentait le parfum et le savon, il avait mis sa tunique blanche, j'ai eu un flash, j'ai revu mon père devant moi mais ça n'a pas duré longtemps. J'ai parlé avec mon haleine de fumeur de joints et il a cligné des yeux. J'ai dit *C'est des pédés*. Il a reculé en levant les deux mains à hauteur de sa poitrine et en disant *Je ne veux pas de ça ici, moi*. Je lui ai souri et j'ai murmuré *Je vais régler ça chef*. Ils aiment bien, les politiciens, quand tu les appelles *chef*. C'est comme ça que les esclaves appelaient leurs maîtres tu savais ça, Mo ? Il a posé sa main sur mon épaule en hochant la tête et il a continué son chemin vêtu de sa belle tunique blanche qu'il remontait un peu parce qu'il ne voulait pas que la boue de Gaza salisse les ourlets.

Samedi on avait tout vendu, c'était du bon matos de la métropole pas du made in China, et le soir, dans Gaza, il y avait du poulet, du coca, de l'herbe, des cigarettes, du chimique, de la bière et encore plus. Après on est allés faire un tour au Ninga, on a attendu que les sousous sortent et on a agité nos billets. J'en ai trouvé une, une Malgache avec des cheveux attachés bien haut sur la tête et qui voulait discuter avant. Elle m'a raconté sa vie de merde, comment elle est arrivée à Mayotte en suivant un muzungu, comment celui-ci l'a laissée tomber trois jours après, trois jours après répétait-elle, et elle avait un enfant et pas de quoi acheter du lait pour lui et pas de papiers et obligée de faire la sousou. Je l'ai laissée parler parce qu'elle était vraiment belle et qu'elle parlait doucement et joliment. J'étais bien, tout allait bien, Gaza de l'autre côté s'amusait, buvait, fumait et moi je baisais une belle fille bien tranquille, pour une fois je faisais attention à ses cheveux, je ne voulais pas que sa queue-de-cheval se détache, c'était bien joli comme ça, je faisais attention à son visage mais tout à coup, pendant que je la baisais, j'ai pensé à toi et à ce que tu faisais avec le muzungu à la peau de mort et ça m'a rendu fou. J'ai cessé d'être tranquille, j'ai cessé de faire attention à la pute et j'ai agrippé ses cheveux de mes deux mains et je l'ai baisée avec toute ma rage.

Stéphane

Tout le monde t'en parle et, mystérieusement, tu te crois à l'abri. On te raconte comment cette jolie fille, que tu as vue plusieurs fois dans des soirées, s'est fait attaquer sur une plage et, parce qu'elle ne voulait pas lâcher son appareil photo, les voleurs lui ont balancé une noix de coco pour l'assommer. Maintenant, la moitié de son joli visage est paralysée. On te parle de ces lieux dans les bois où vivent des clandestins depuis des dizaines d'années. Tu lis des articles à propos des agressions sexuelles d'une extrême violence qui sont commises par des jeunes garçons sous l'emprise de cette nouvelle drogue, le chimique, et plus tard, quand tu parles à tes amis de ce que tu as lu, on te révèle même le prénom du mec qui a importé cette drogue à Mayotte et tu dis *Putain c'est chaud*, mais ça ne t'atteint pas là où ça devrait t'atteindre. On te raconte comment de plus en plus, pendant les vacances, les muzungus louent pour une poignée d'euros leurs maisons aux touristes qui font également office de gardiens. On te montre les grands chiens abandonnés par les muzungus car, là où ils vont, ils n'ont pas besoin de trois bergers allemands pour surveiller les maisons. On te demande si tu as été sur l'îlot de sable blanc et tu racontes cette merveilleuse journée de plongée dans le plus beau lagon du monde car, maintenant tu en es sûr, c'est le plus beau lagon du monde puisque de tes yeux tu l'as vu ce monde émeraude et opaline et, même si tu sais que des centaines de personnes meurent dans ce lagon-là, tu le dis quand même *C'est le plus beau lagon du monde*. On te chuchote que la moitié des habitants de Mayotte est constituée de clandestins, que tous les équipements de l'île ont été conçus pour deux cent mille habitants mais qu'officieusement il y aurait presque quatre cent mille personnes sur l'île et tu dis *Mais ce n'est pas possible, ça va exploser*, et cette phrase que tu prononces a été prononcée des milliers de fois avant toi. On te dit *Regarde lui c'est un Mahorais, lui c'est un Grand Comorien, lui c'est un Anjouanais, lui c'est un Malgache* mais pour toi, en réalité, ils se ressemblent tous. On te propose une balade sur les chemins de traverse et tu t'émerveilles de tous ces potagers et ces maisons sur les hauteurs. On te dit que ce sont les Anjouanais clandestins qui s'occupent de l'agriculture et que les maisons en hauteur sont occupées par les muzungus. On te dit que si ça continue, si l'État français ne fait rien, ce sont les Mahorais eux-mêmes qui prendront leur destin en main et ficheront tous les clandestins et les délinquants dehors. Tu as alors l'image de centaines de Noirs descendant dans la rue avec des machettes et tu ne sais plus si c'est une image du Rwanda ou du Zimbabwe ou du Congo et tu dis *Ça n'arrivera jamais dans un département français*.

Toi-même un jour, alors que tu attends pour traverser la route afin d'acheter une nouvelle carte de téléphone, tu es le témoin de ça : deux motos se percutent. Trois personnes tombent à terre devant toi. Côté trottoir, un homme aux cheveux gris, chemise à carreaux, pantalon noir et qui ne porte pas de casque. Côté rue, un homme casqué avec un bermuda vert (de ceux qui ont des grandes poches à l'intérieur desquelles il y a des moyennes poches à l'intérieur desquelles il y a des petites poches), un tee-shirt blanc; derrière lui, tombée presque dans la même position, une petite fille avec une robe à fleurs roses et des nattes qui courent le long de son crâne — crâne que tu vois puisqu'elle est sans casque. Tu t'arrêtes net au bruit de ferraille que les motos font en se percutant et, très vite, tu vois l'homme au casque se relever, enfourcher sa moto et repartir en faisant pétarader son moteur. La petite fille reste à terre, immobile. Tu vois mais tu ne comprends pas vraiment. Les pompiers arrivent et la petite fille est installée dans le véhicule de premiers secours. L'homme aux cheveux gris est très agité. Il dit *Il l'a abandonnée! Il l'a abandonnée comme ça!* Quand il dit *comme ça*, il montre le sol de sa main et tu vois que son avant-bras est en sang. La chair est rose, le sang est rouge, la peau qui pend est noire et tu te dis que c'est la première fois que tu vois un homme noir saigner.

Le lendemain, quand tu vois Chebani, tu lui demandes des nouvelles de cette petite fille et il te dit qu'elle a été emmenée à l'hôpital. Tu demandes si la petite fille a des papiers. Chebani te regarde comme si tu étais un extraterrestre. *Ben non elle n'a pas de papiers, elle ne savait même pas son âge. Et l'autre qui l'a abandonnée n'avait pas de papiers non plus !* Et il rit et te tape dans le dos en disant *Caribou* Mayotte !*

On te dit de faire attention, on te donne en exemple la caserne des pompiers, de l'autre côté de la grande rue, qui a été visitée la nuit. On te dit *Tout ce matériel dans le local, c'est comme agiter la viande devant des lions*, on te répète *Tu ne connais pas ces garçons-là*, on te serine *Ne téléphone pas dans la rue, ne va pas seul au distributeur, ne porte pas de sac en bandoulière.* Mais tu continues à vivre et à croire que tu seras à l'abri car tu as été à l'abri pendant les vingt-cinq premières années de ta vie et que tu ne connais que ça.

Pourtant, ta vie bascule quand tu rentres d'une semaine dans le Sud où tu as travaillé du matin au soir, où tu as eu l'impression, non ce n'était pas qu'une impression c'était une certitude, d'avoir retapé non seulement une maison mais également un jeune garçon qui ne parlait pas dans la journée mais qui disait de ces choses la nuit dans son sommeil et tu écoutais pour pouvoir recoudre les mots et former son histoire et quand il a arrêté de porter sa casquette tu as eu le sentiment de savoir ce que c'est d'être, enfin, un homme bon.

Tous les livres aux pages gondolées par terre, tu n'as pas besoin de les renifler pour savoir qu'on a pissé dessus. Tu sais que le local a été saccagé et cambriolé mais tu n'arrives pas à détacher ton regard de tous ces livres à terre et tu ne sais pas pourquoi ça te fait penser à des petits corps mutilés que tu vas devoir mettre en tas et brûler.

Ta vie bascule quand ils rentrent dans le local, te bousculent et te traitent de pédophile, de pédé. Ils avancent sur toi, tu voudrais être un mur solide et inviolable mais non, tu recules, tu bafouilles, tu n'as aucune force dans les bras. Tu glisses sur les livres et ça fait un bruit de feuilles sèches. Tu as peur, ton corps est mou, ton estomac est remonté dans ta gorge, c'est la première fois que tu te fais agresser et ce n'est pas du tout comme ça que tu imaginais les choses. Tu te voyais faire face, debout, tu te voyais plus grand, plus fort, plus courageux. Deux garçons te maintiennent à terre avec leurs genoux et leurs mains. Ils te tordent un peu le bras et t'appuient fort sur le ventre. Tu te souviens de leur odeur de fer et de fumée. Les deux autres entourent Mo et celui-ci ne proteste pas, ne pleure pas, ne te regarde même pas. Ils l'emmènent avec eux dans la lumière crue de ce lundi matin et ceux qui te maintenaient à terre partent aussi, en courant.

Tu restes longtemps à terre, tu as peur mais un immense soulagement t'envahit. Ce n'est pas à toi vraiment qu'ils en voulaient. Tu te lèves et tu vas vomir dans la cour.

Le soir même, tes amis viennent te voir pour te réconforter et tu racontes comme eux t'ont raconté, ils te disent *Putain c'est chaud* et cette fois-ci ça t'atteint dans le ventre et ça touche une partie de toi qui est rouge comme le sang de l'homme à la chemise à carreaux, une partie qui vient tout juste de naître et qui est sensible comme tout ce qui vient de naître et tu as mal dans le ventre, tu pleures. Tu sors avec eux tous les soirs, désormais tu n'es jamais seul et tu n'arrêtes pas de raconter ce qui t'est arrivé. Un soir, un ami d'un de tes amis te propose un flingue pour te protéger et tu acceptes. Maintenant et maintenant seulement, tu comprends.

Moïse

Quand je pense à ce jour, et il faut que j'y repense parce que, sans ce jour-là, je n'aurais jamais tué, je n'aurais pas écouté Stéphane lorsqu'il délirait sur le pistolet qu'il gardait dans son bureau, je n'aurais pas eu ce trou noir en moi où chaque chose désormais tombe avec un bruit sourd et ne remonte jamais. Dans cette cellule carrée où parfois un courant d'air vient étrangement rafraîchir mon front, dans cette pièce où il me semble entendre des souffles et des soupirs dont je sais qu'ils ne sont pas les miens, je me sens étrangement en paix. Je sais maintenant que ce qui s'est passé ce jour-là et ce soir-là et tous les jours et les soirs qui m'ont amené jusqu'ici est beaucoup plus grand que ma peine, mon chagrin, mon regret.

J'ai quinze ans, je m'appelle Moïse, je suis né de l'autre côté de l'eau. Ma mère a eu peur de moi, ma mère a eu pitié de moi et d'elle-même, ma mère s'est demandé ce qu'elle avait fait à Dieu et à tous les djinns pour avoir un enfant avec un œil noir et un œil vert. Ma mère m'a tendu comme un vieux paquet à la première venue mais je sais maintenant que ce n'est pas sa faute, je sais maintenant qu'il faut de l'argent pour prendre un kwassa, qu'il faut du courage pour monter sur ces barques fragiles. Je sais à quoi ressemble cette plage de Bandrakouni où les baobabs ont l'air de forteresses, je sais qu'il faut autre chose dans le ventre que juste la pitié et la peur. Je sais qu'il faut un peu d'amour.

Quand ils sont venus me chercher, je n'ai pas protesté. Ils ont cette façon, les lieutenants de Bruce, de marcher en demi-cercle autour de toi comme s'ils t'accompagnaient, comme si t'étais l'un des leurs et je suppose que ceux qui nous ont vus dans les venelles crasseuses de Gaza ce matin-là ne nous ont pas prêté attention. Personne ne prête attention à cinq vauriens.

Nous sommes passés par le même garage, avec la même ampoule au plafond, qui sentait l'essence et le métal et ça m'a fait grincer des dents à nouveau.

Une flaque épaisse, bleue et brillante sous le soleil, stagnait dans le lit de la ravine. Bruce était à l'ombre de l'arbre à pain, en amont. Il était assis sur une pierre noire et nous regardait avancer. Il souriait, ses dents blanches brillaient. Je n'avais pas peur, pas encore. Je savais qu'il serait en rogne que je sois parti sans prévenir. Je me souvenais d'un petit qui était rentré chez lui pendant trois mois et qui était revenu à Gaza car sa mère, qui avait six autres mômes, ne pouvait pas le nourrir. Bruce l'avait attaché à un arbre et, pendant une heure, chaque membre de la bande qui passait l'avait frappé sur les cuisses ou les bras avec une branche fine encore en feuille. Quand les feuilles tombaient, quelqu'un allait cueillir une autre branche. Moi aussi je l'avais fait, un seul coup, *fachak*, sans le regarder dans les yeux. Ensuite, il a été renvoyé taper les muzungus à la sortie de la barge et, pendant quelques mois, ses cuisses et ses bras marqués ont remporté un franc succès.

Je me disais que peut-être il me réserverait quelque chose comme ça même si, moi, je ne lui rapportais rien en réalité. Moi, Mo la Cicatrice, le fou, le muet qu'il avait déjà balafré. Peut-être qu'il m'attacherait une journée entière et demanderait à ses gars de choisir des branches sans feuilles, de celles qui piquent et qui font gratter? Voilà ce que j'appelais ce matin-là, en montant vers l'arbre à pain, « me préparer au pire ».

Bruce m'a fait signe d'approcher et, d'un coup de la main, il a fait voltiger ma casquette et a approché son visage du mien. Il sentait la fumée âcre et épaisse du chimique, son haleine était lourde mais ses dents étaient d'une blancheur de lait.

Il a passé doucement son index sur ma cicatrice et je n'ai pas bougé. Il a dit *C'est doux ça*.

Il a plié le même index et a passé cette fois-ci son ongle sur ma cicatrice comme s'il voulait la gratter. J'ai commencé à trembler. Il a demandé en pinçant sa voix *C'était bien à Kani Keli avec ton chéri ?*

Les autres autour de lui ont ri aux éclats et ce gros rire comme sorti de la gorge d'un seul homme a éclaté ce matin-là et je ne sais pourquoi, du fond de ma mémoire, se sont détachés les mots de ce livre que j'aime tant : « Alors toutes les bêtes remuaient. C'était l'éveil. »

Je n'ai plus peur maintenant. Bruce est mort, je l'ai tué ce matin dans les bois, il ne reviendra plus.

Dans la banga de Bruce, la corde a lié mes pieds et mes mains.

Dans le téléviseur, des hommes et des femmes baisaient.

Dans mon bermuda, ma bite se dressait et j'avais tellement honte. Les garçons la montraient et riaient.

Dans le téléviseur, des hommes prenaient des chiens et des chiens prenaient des femmes.

La musique disait *rap rap nigga nigga fuck fuck.*

Dans mon corps, mon estomac se retournait sur lui-même.

Dans le téléviseur, les hommes baisaient des hommes qui baisaient des femmes qui baisaient des chiens.

Dans la banga, les gars riaient puis se levaient en vitesse.

Autour de moi, une odeur de sueur amère.

J'ai pu ramener mes jambes sur ma poitrine et la sensation de mes propres genoux contre moi était si réconfortante.

Devant moi, ils ont écrasé des pilules, pilé des feuilles de mangrove, vidé des cigarettes, bu de la bière.

Dans la télévision, il y avait des clips de rap *fuck fuck fuck* disaient-ils les chanteurs à la voix épaisse et lourde et les femmes dressaient et secouaient leurs culs comme si ceux-ci avaient une vie à eux.

Je ne sais pas combien de temps ça a duré.

Bruce est entré et il y a eu ce silence, même la télé s'est tue ou c'est moi qui imagine cela. Il a dit *Viens là ma chérie*. J'ai senti un liquide chaud mouiller mes cuisses. Quelqu'un a dit *Il a pissé*, mais Bruce a répété *Viens là ma chérie*.

Mais tout ça n'est rien à côté du temps qui s'écoule seconde par seconde et des choses qu'on entend et qu'on voit. On entend son chien et on imagine que celui-ci défonce la porte et mord Bruce qui est en train d'enfoncer sa bite dans votre chair. On imagine que Bruce hurle, non pas parce qu'il est le roi de Gaza et qu'il vous possède comme il possède la moindre poussière ici, mais parce qu'un chien vient de lui sauter à la gorge, juste là autour de la pomme d'Adam, et que ce chien-là ne lâche pas, non il ne lâcherait pas, Bosco.

On entend des chevaux et on sait qu'il n'y a pas de chevaux ici mais on entend le *clop clop clop clop* et ça s'approche et bientôt cette chevauchée va écraser la banga et tout ce qu'il y a dedans.

On voit une savate et celle-ci est si blanche

qu'on se demande si elle n'est pas neuve et on s'invente toute une histoire sur cette savate neuve et blanche et si parfaite pendant que La Teigne ou Nasse ou Rico ou qui encore enfonce d'autres choses dans votre chair.

On voit un coupe-coupe posé contre la porte et on liste dans sa tête tous les noms de cet outil à commencer par coupe-coupe, chombo, machette, serpe, grand couteau, couteau chinois, coupe-gorge, et voilà qu'on revient à cette gorge que son chien a arrachée et qu'il a posée devant soi comme une offrande.

On se dit que, comme dans le livre, comme Pascalet et Gatzo, on a derrière soi des racals, ces animaux féroces qui hantent la solitude et qui errent la nuit et qui vous foncent dessus d'un bond prodigieux, le bond bien connu du racal qui dépasse le bond du tigre.

Tandis que Bruce fume et boit et qu'il vous regarde vous faire enfoncer des choses dans la chair avec ses yeux jaunes de racal, avec un sourire qui ne quitte jamais ses lèvres, on réfléchit au mot « prodigieux » et on essaie de trouver quelque chose de sa vie qui pourrait être « prodigieux ».

Je ne trouve pas.

Je pense à Marie, je pense à la voisine qui n'aimait pas sortir de la journée, je pense à la plage de Bandrakouni et je traverse le temps, ce temps qui dure si longtemps quand des garçons de votre âge vous violent, des garçons qui savent rire et sourire, qui mangent et chient comme vous, comme moi, et ils pourraient vivre dans un endroit appelé Tahiti, dans un endroit appelé Poitiers, dans un endroit appelé Montréal et ils seraient certainement différents. Je traverse le temps et j'arrive sur cette plage où un kwassa débarque ses passagers malades, ses brûlés, son enfant de malheur. Je souffle dans l'oreille de ma mère et celle-ci me glisse dans un baobab et je ne pleure pas comme ici, maintenant, tandis que tout le monde est parti, que la nuit est tombée et que l'odeur de merde de sueur et de foutre et de vomi a envahi cette banga, je ne pleure pas parce que je suis à l'abri dans le creux d'un baobab.

Quand je sors en rampant, dans le ciel sont inscrits des mots étranges, des mots indéchiffrables, des mots que les étoiles ont dessinés et la lune bouge de droite à gauche comme un laser et elle plonge dans la baie et disparaît dans la mer et je sais que je suis entré dans un autre monde, une autre dimension et que plus jamais je ne serai comme avant.

Bruce

Je sais que je suis mauvais. Même ici dans cet endroit un peu gris, comme si la nuit allait tomber à tout moment, je ressens la colère et le dégoût et toujours ce goût bizarre dans ma bouche, comme si j'avais des dents qui pourrissaient. Mais je voudrais m'en aller maintenant, j'en ai assez vu, je voudrais retrouver la poussière et l'odeur de Gaza, je voudrais revoir la peur et l'admiration dans les yeux de tous dès que je franchis le seuil de Gaza. *Bruce est là, Bruce, Bruce!* et cette musique qui me suivait dans les rues, quand je descendais la ravine, quand je m'arrêtais pour discuter avec les gars de l'atelier, quand je montais vers ma banga et que je passais devant la vieille cascade, cette musique me donnait des ailes et je portais ce prénom Bruce la tête haute, en distribuant bons points et mauvais points, joints et claques, bières et coups de pied et je me disais que j'étais vraiment comme Batman et que j'aimerais bien rebaptiser Gaza Gotham City, ça aurait de la gueule.

Je sais que je suis mauvais, je sais que j'aurais pu t'épargner, surtout quand tu t'es pissé dessus mais, Mo, ce n'était pas possible, tu ne deviens pas roi du ghetto comme ça. T'as déjà entendu parler de l'histoire de Mister T ? C'était lui, qui, avant, faisait la loi dans le quartier. Il s'appelait Kaphet mais, du jour où il a porté ces grosses chaînes en or au cou, il s'est fait appeler Mister T. On racontait qu'il avait tué des muzungus de ses propres mains, qu'il était contre la France et les Français, il disait toujours *Ici, c'est les Comores ce n'est pas la France* et, sur le mur de sa maison, il avait fait peindre un drapeau vert et blanc. On racontait qu'il connaissait tous les policiers de l'île, le préfet, les élus et que même les cadis* avaient peur de lui. Il se tatouait lui-même avec des aiguilles qu'il faisait chauffer sur la flamme d'un réchaud à pétrole. Il ne savait ni lire ni écrire, il ne fumait pas ce connard, il ne buvait pas non plus mais, tous les soirs, il se tatouait des motifs avec sa main qui allait à une vitesse folle, fallait le voir pour le croire. Il aspirait de l'air avec sa bouche presque fermée quand il faisait rougir son aiguille dans la flamme bleue.

Ça suffit pas d'avoir une réputation et des histoires qu'on raconte sur toi. Moi je l'ai pas connu quand il était jeune et qu'il faisait peur à tout le monde. Moi je l'ai connu quand il caressait la tête des petites filles et des petits garçons, quand il distribuait du lait aux mamans sans rien demander. On me disait *Voilà le chef de Kaweni* et j'avais envie de rire. Mister T réunissait les jeunes, parlait de leur construire des bangas, parlait de nettoyer le quartier, de retourner à l'école. Il avait fait écrire sur un mur « L'éducation pour cesser la violence ». Mister T laissait faire. Les gamins faisaient n'importe quoi, les policiers ont commencé à faire des descentes et à taper des clandestins dans leurs maisons. Les policiers rentraient dans le quartier comme s'ils étaient chez eux ! Tu imagines ça ! Mais Mister T continuait à prêcher pour le dialogue, il n'avait plus de réputation, juste ses tatouages et ses bijoux. Tu sais ce qui est arrivé à Mister T ? Il a été tabassé chez lui et étranglé par sa propre chaîne au cou. Personne n'est venu pleurer, tu sais. Il était devenu un gars comme un autre, il ne faisait plus peur.

Je voulais pas finir comme ça, moi. Tu comprends, Mo, tout le monde te regarde quand t'es le chef. Tout le monde t'observe pour voir si tu mollis, si tu souris trop, si tu commences à traîner la patte, à trop boire, à ne plus être au courant et il y a toujours autour de toi un mec qui croit qu'il peut prendre ta place. Ça peut être Rico, Nasse ou La Teigne. Et les petits, tu sais ce qu'ils ont dans la tête ? *Quand je serai grand, je serai comme Bruce*, voilà ce qu'ils ont dans la tête, ces morveux.

Il y avait cette rumeur qui disait que je te protégeais, que je ne t'envoyais jamais taper les muzungus ni cambrioler, que je te laissais errer dans Gaza. Je l'entendais depuis un bout de temps cette rumeur mais je n'y prêtais pas beaucoup d'attention. Je me disais que le jour viendrait où tu me serais utile, toi, ton œil vert, ta cicatrice, ton sac à dos marron. Je ne sais pas pourquoi je me suis mis quelque chose comme ça dans la tête, peut-être que je t'aimais bien, au début.

Quand t'es parti une semaine à Kani Keli sans me demander la permission, je ne voulais pas qu'ils croient que j'étais devenu faible et qu'on pouvait faire ce qu'on voulait dans mon quartier et j'ai repensé à Mister T et aux têtes des enfants qu'il caressait et aux boîtes de lait qu'il distribuait avec le sourire. J'ai repensé à la façon dont il est mort, tabassé chez lui, étranglé par sa propre chaîne.

Alors, tu comprends, Mo, je devais te punir et il fallait que cette punition reste dans toutes les mémoires, que mes lieutenants aillent parler à leurs amis et que ceux-ci parlent à leurs amis et que cette histoire recouvre tout Gaza, maintenant, demain et que, de nouveau et pour toujours, ils aient peur de moi. Je ne voulais pas finir comme Mister T.

Je leur ai montré comment faire puis j'ai regardé. J'ai dit *Allez-y*, ils y sont allés. J'ai dit *Stop*, ils se sont arrêtés. J'ai dit *Détachez-le*, ils ont détaché. J'ai dit *Lavez-le*, ils ont lavé. J'ai dit *Habillez-le*, ils ont habillé. J'ai dit *Donnez-lui à boire*, ils ont donné à boire. J'ai dit *On se casse* et on s'est cassés.

Il y a cette belle victoire. Juste moi et mes

soldats, mes pas et leurs pas sur les feuilles sèches des badamiers, les gens qui s'écartent devant nous, les enfants qui nous suivent à bonne distance en sautillant, rien ne peut m'arriver. Je suis devenu une star. Pendant des jours et des jours, jusqu'au soir du mourengué, c'est la même musique à mes oreilles et je pense que ça ne s'arrêtera jamais. Je serai le roi, pour toujours.

Toi, tu as perdu la tête. Tu parlais tout seul, tu montrais le ciel avec ton index, tu as retrouvé ton ami Stéphane. Mo le Fou, voilà comment ils ont commencé à t'appeler. Certains m'ont redit de me débarrasser de toi mais, moi, je voulais que tout le monde te voie, que tout le monde sache ce qui attend celui qui trahit Bruce.

J'aurais mieux fait de penser à mon père et me souvenir de tout ce qu'il m'a appris sur le djinn. J'aurais dû savoir que jamais je ne pourrais jamais échapper à son œil vert.

Moïse

Parfois, devant moi, les arbres soudain se mettaient en rang, les ordures étaient aspirées par la terre, les chemins se faisaient droits et lumineux, les oiseaux descendaient des arbres pour se tenir au garde-à-vous.

Parfois, le vert des feuilles coulait *ploc ploc* et je m'enfuyais mais alors le bleu du ciel aussi se mettait à dégouliner *ploc ploc* et ce vert et ce bleu tombaient sur moi comme un goudron épais et c'était si lourd que je restais immobile et étouffé sous ce poids.

Parfois, il poussait des dents et des poils sur les hommes qui travaillaient dans l'atelier de ferblanterie et quand je passais ils se mettaient à aboyer.

Parfois, Bosco apparaissait à mes côtés, beaucoup plus grand, beaucoup plus fort. Je lui parlais et il hochait la tête.

Parfois, tout était comme avant, l'odeur, la chaleur, le bruit, la poussière, et je me souvenais que Bosco était mort et je voyais Bruce et ses lieutenants et je me souvenais de ce qu'ils m'avaient fait dans la banga et je voulais mourir.

Un jour, je me suis retrouvé au local. C'était un jour sans ciel. Il y avait deux gars que je ne connaissais pas et je suis resté dehors à regarder ce vide noir au-dessus de ma tête. Stéphane est alors arrivé, il a agité les bras et puis il m'a rendu mon sac. *Tu l'avais laissé dans la voiture*, m'a-t-il dit. Après, il a commencé à parler sans s'arrêter, je l'ai suivi dans le local où il y avait une forte odeur d'eau de javel. Je me suis assis par terre et peut-être que j'ai dormi, peut-être que j'ai mangé mais je sais que je n'ai pas parlé. Peut-être que c'est ce jour-là ou un autre que Stéphane m'a parlé de son flingue. Peut-être que c'est ce jour-là quand il n'y avait plus de ciel ou un autre jour quand les arbres me suivaient qu'il m'a dit qu'il repartait bientôt en métropole, que le local allait fermer et il avait l'air content et triste à la fois et il a dit, tandis que derrière lui les arbres se rapprochaient pour écouter, il a dit *Je suis désolé Mo.*

Le temps passe, le jour puis la nuit et tout cela n'a aucune importance.

Ce soir-là, quand j'ai entendu les gomas, j'étais dans les bois et Bosco avait de nouveau réapparu. Bosco était très grand désormais, il avait le même poil ras et tacheté qu'avant mais il faisait peur aux gens, je voyais bien comment ils s'écartaient de mon chemin.

Le mourengué avait commencé et Rico avait battu un garçon que je ne connaissais pas. Il dansait et Bosco a commencé à grogner. Puis La Teigne est arrivé et il a été battu par Rico. Bosco se serrait contre moi, je sentais son flanc bien en chair se presser contre moi, ses muscles se tendaient et se détendaient quand il respirait. La foule grossissait. Ensuite, Bruce est entré dans l'arène et les tambours ont accéléré la cadence. Plus fort, plus rapide et, au coup de sifflet, il a, d'un coup de pied, fait tomber Rico et la foule a bougé comme une grosse vague, elle a enflé, elle est montée haut et elle est retombée aux pieds de Bruce, le roi. Bosco m'a dit *Vas-y Moïse* parce que mon chien, lui, connaissait mon vrai nom et sa voix était ferme, sa voix grave et forte de chien magique recouvrait les cris de la foule et le tam-tam des gomas. Quand je suis apparu, Bruce a ri de son rire de sauvage et mon chien a dit *Quel sauvage celui-là*. Puis il a grogné et moi aussi j'ai grogné en m'approchant de Bruce et l'arbitre a regardé Bruce et celui-ci a dit *O.K. !* tout en continuant à sourire de ses dents de loup et les chiens n'aiment pas les loups, tout le monde sait ça.

Bruce a commencé à danser sa petite danse en sautillant et en s'accroupissant et il tournait autour de moi en riant et la foule riait aussi, je les entendais dire *Le fou ! le fou !* Mais alors il est arrivé quelque chose d'incroyable, Bosco est venu près de moi et il est entré en moi. Dans une jambe, dans l'autre, dans un bras, dans l'autre, dans ma tête et dans mon cœur et je suis devenu très grand, un grand chien au poil ras et tacheté et j'ai sauté sur lui, un bond prodigieux que j'ai fait d'un coup pendant qu'il continuait de rire et il est tombé et mes bras chiens ont tapé sa tête tandis que mes jambes chiens le maintenaient serré et que mon cœur chien aboyait et que ma tête chien hurlait.

Ce cri qui est sorti de mon ventre a réveillé quelque chose en moi et j'ai pensé que c'était cette même chose qui se réveillait quand je lisais mon livre, quand je me souvenais de ma maison, quand je rêvais de Marie. J'ai vu le visage de Bruce et mon pied sur sa gorge et je savais que je devais disparaître.

J'ai couru, j'ai été chercher mon sac que j'avais caché à côté du compteur d'eau et je me suis souvenu du flingue. J'ai descendu la colline avant qu'ils ne me trouvent et j'ai traversé la route de Kaweni et j'ai longé la mangrove et je suis monté sur la barge sans me retourner une seule fois et, même assis sur les bancs en bois, je n'ai cessé de courir dans ma tête, dans mon cœur. Je n'ai pas regardé Grande-Terre s'éloigner, je n'ai pas regardé si Gaza se transformait en monstre, je suis revenu ici, j'ai dormi sur la table de ping-pong, j'ai marché avant que le soleil ne se lève jusqu'au lac Dziani pour me souvenir comment c'était, avant, quand on y allait avec Marie et Bruce est apparu entre les arbres et je ne voulais plus de ces choses-là, je ne voulais plus être à terre, je ne voulais plus être mutilé, je ne voulais plus être violé et j'ai sorti le flingue et j'ai à peine appuyé sur la détente.

Olivier

Dans le jardin de ma petite maison, il y a des hibiscus roses aux cœurs rouges et aux pistils jaunes, un frangipanier aux fleurs blanches et veloutées, des alamandas qui donnent toute l'année des fleurs jaune soleil, un buisson épais de lauriers-roses et sur un pan du mur d'enceinte grimpent des bougainvillées fuchsia. Je passe des heures ici, à tailler, à élaguer, à soigner, à enlever les puces une à une, à soigner, à nourrir, à arroser, à protéger. Je passe une partie de ma vie ici, à regarder, à m'émerveiller des couleurs, des formes, des parfums comme un touriste fraîchement débarqué. Je me prosterne devant la finesse des veines des fleurs et la douceur de leurs pétales, j'observe les papillons, les colibris, les passereaux et les bulbuls. Chaque matin, quand je rentre d'une nuit au poste, je me tiens immobile dans ce jardin et j'ai l'impression de prendre racine, de me colorer de ces teintes intenses et inaltérées et, chaque matin, j'ai comme le sentiment d'appartenir, un peu, un tout petit peu, à cette terre.

Mais cet après-midi, quand je rentre enfin après vingt heures au poste, ce jardin me semble une imposture, un cliché, une carte postale pour touristes. Je vais dans le jardin et, sous le soleil métallique et brûlant, j'attends d'être ému, j'attends d'être lavé, je fouille des yeux les fleurs, je tends l'oreille aux oiseaux, j'attends d'être apaisé, j'attends d'être consolé.

Le corps de Bruce a été déposé à la morgue de l'hôpital de Dzaoudzi. Ce n'est pas vraiment une morgue mais un local en dur à l'écart des bâtiments principaux. Trois climatiseurs poussés à fond servent à refroidir la pièce. Bacar et moi avons fait du mieux que l'on pouvait pour ne pas ébruiter l'affaire mais, quand nous avons redescendu la côte avec le corps de Bruce enfermé dans la housse, il y avait déjà un attroupement autour des véhicules des pompiers. Les gens demandaient à tout va *C'est qui?* et Bacar a lancé *C'est un touriste.* Tout à l'heure, un journaliste du quotidien de Mayotte a appelé le poste en demandant des renseignements sur le corps retrouvé au lac. Je ne sais pas combien de temps nous allons pouvoir garder le silence, faire comme si rien ne s'était passé, faire comme si ce n'était qu'un énième fait divers.

Je pense à Moïse, je pense à Bruce et tout à coup me vient cette pensée insoutenable qu'ils se ressemblent. La même taille, la même forme du crâne, les mêmes lèvres charnues, les deux visages émaciés. On m'avait dit qu'ici tout le monde est cousin et que le sang qui coule dans l'océan rentre dans le sable, la terre, nourrit les rivières et les plantations. Ma peau brûle, ma tête va éclater et je regarde mes fleurs. Sont-elles si belles parce qu'elles se nourrissent de chair ? Sont-elles si colorées parce qu'elles se gorgent de sang ? Mon cœur s'emballe et avant que je ne devienne fou, avant que les fleurs ne se transforment en mains, les branches en bras, les troncs en corps, je saisis la pelle et je frappe ce rouge, j'écrase le blanc velouté, j'assomme le jaune soleil, je tue le rose, je fais taire à jamais le fuchsia.

— Olivier ! Olivier !

C'est Bacar. Il a les clés de ma maison, comme moi j'ai les siennes. Quand je pars en vacances, il vient chaque jour arroser mes plantes et vérifier que je n'ai pas été cambriolé. Quand il s'absente, c'est moi qui vais chez lui.

Il me regarde avec une telle tristesse que j'ai envie de pleurer. Qu'allons-nous faire, Bacar ? ai-je envie de lui demander. Qu'allons-nous faire pour réparer tout ça ?

Il me tend une feuille de papier et me dit :

— Le commandant a essayé de te joindre plusieurs fois mais tu ne répondais pas au téléphone. Il faut conduire le petit au tribunal.

— Maintenant ?

— Oui, maintenant. Tiens, regarde.

— Qu'est-ce que c'est ?

— C'est un article qui est paru sur internet il y a une heure.

L'article en question faisait quelques lignes et avait été posté à quinze heures cinquante-cinq. Je l'ai lu en suivant Bacar jusqu'à la voiture.

Un adolescent tué par arme à feu ce matin

Un adolescent a été tué ce matin par arme à feu en Petite-Terre. D'après nos renseignements, ce serait un dénommé Bruce, un chef de bande bien connu des habitants de Gaza, le bidonville à la lisière du chef-lieu Mamoudzou. Ce serait le premier crime par arme à feu dans le plus jeune département de France et, toujours d'après nos sources, Bruce serait encore mineur.

Mayotte connaît depuis plusieurs années une montée inquiétante de la violence et de la délinquance. Le cent unième département, surnommé l'île aux parfums ou l'île au lagon, fait également face à une pression migratoire constante venue des Comores, de Madagascar et même de quelques pays africains. Presque vingt mille personnes ont été reconduites à la frontière en 2014 mais les kwassas kwassas continuent d'arriver tous les jours sur les côtes mahoraises. Cinq cent quatre-vingt-dix-sept embarcations ont été interceptées en 2014. On estime à trois mille le nombre de mineurs isolés qui vivent durablement dans le cent unième département de France, sans foi ni loi.

S.R.

J'ai regardé Bacar qui avait du mal à faire démarrer sa voiture. Il tremblait.

— Il faut l'éloigner ce petit. C'est un gamin.

— Oui, le préfet préconise son transfert à La Réunion, mais il doit être présenté au juge d'abord et le juge est au tribunal à Mamoudzou.

— Il faut faire vite alors, avant que ça se sache.

Bacar s'est tourné vers moi et je savais ce qu'il allait me dire, je savais ce que mon ami de vingt ans pensait. En ce moment même, tout Gaza était déjà au courant de la mort de Bruce et préparait la guerre. J'ai plié le papier, la voiture a démarré et, pour la deuxième fois de la journée, j'ai fermé les yeux et j'ai prié.

Bruce

Ne t'endors pas Mo, ne te repose pas, ne ferme pas les yeux, ce n'est pas terminé. Ils te cherchent et, s'il faut fouiller tous les trous de ce pays pour t'attraper, ils sont prêts à le faire. Tu entends ce bruit, on dirait le roulement des barriques vides, on dirait le tonnerre en janvier mais tu te trompes si tu crois que c'est ça. Prépare-toi, Mo-ïse, ce n'est pas terminé. T'as couru ici comme un poltron après m'avoir descendu, on t'a mis dans cette cellule bien à l'abri, bien au frais mais tu entends ce bruit, tu sens comme la terre tremble ? Rien ne te protégera de la colère de Gaza, ni les muzungus, ni les murs, ni la mer, ni le djinn, ni les policiers, ni les pompiers, ni Stéphane, ni les livres, ni ton vieux chien pourri dont j'ai éclaté la gueule à coups de pied, ni tes histoires d'enfant et de rivière.

Écoute le bruit de mon pays qui gronde, écoute la colère de Gaza, écoute comment elle rampe et rappe jusqu'à nous, tu entends cette musique *nigga*, tu sens la braise contre ton visage balafré. Regarde, Mo, regarde de ton œil de djinn de malheur. Ils viennent me venger.

Ils viennent pour toi.

Marie

Il faut me croire. Ici, je suis un souvenir qui surgit, une ombre qui s'allonge au crépuscule, une brume au coin de l'œil. Je tourne avec le vent mais je ne brûle plus au soleil. Les heures et les jours et les années passent sur ce même chemin sans couleurs, sans relief, sans lumière. Les mensonges et les rêves n'existent plus. Seuls subsistent la vie et l'enfer des autres.

J'entends la clameur et la fureur qui gonflent dans les venelles de Gaza. Je sens le sol vibrer de tous ces pas qui martèlent le sol des rues de Gaza. Quelque chose approche mais mon fils ne le sait pas encore.

Je regarde Moïse allongé sur le sol de sa cellule. Il est fatigué de ce voyage en enfer qui a commencé le jour où je suis tombée sur le sol de notre cuisine. L'autre garçon, celui qui ne tenait pas en place, celui qui ne pouvait pas croire qu'il était mort, veut partir mais il ne peut pas. Il n'a pas encore compris que ce n'est pas lui qui décide.

Le silence autour de Moïse lui fait du bien, il regarde le ciel bleu et immobile par la fenêtre et se souvient du mot qu'il cherchait tout à l'heure : un trompe-l'œil. Il ferme les yeux.

Ses pensées virevoltent comme les éphémères à la fin de l'hiver austral. Il imagine le moment où il pourra à nouveau glisser ses bras entre les lanières de son sac, donner un petit coup de reins pour le remonter, resserrer les bretelles et sentir ce poids familier sur son dos. Il pense à la façon dont le policier lui a parlé tout à l'heure. Il se demande combien de temps il va rester ici, dans cette cellule grande et carrée. Il se dit qu'il pourrait rester des semaines ici, des années même, et qu'il se contenterait de ce ciel bleu et de ce sol frais de béton.

Une pensée et puis une autre. Il pense à moi et me revoit un soir chez Nassuf avec mon foulard de soie bleu et vert. Je suis en train de lui dire, en riant, devant des assiettes fumantes de poisson au lait de coco *Mais ce n'est pas un métier, ça, planteur de corail !* Le souvenir de moi, de nous ensemble, ne le fait plus trembler. Il sourit très légèrement et la cicatrice qui barre son visage bouge à peine. Son estomac gronde mais il n'a pas envie de manger, il aime désormais résister à son propre corps, se sentir indépendant de lui. Quand il pense à la juge des enfants qui le recevra tout à l'heure ou demain, il se voit dans un beau bureau en face d'une femme avec un visage qui ressemble au mien.

Dehors, soudain, les roues d'un véhicule

crissent sur le gravier. Des portières claquent. Il y a des cris d'empressement, d'impatience.

Les pensées de Moïse ralentissent, je vois leurs contours se recroqueviller vers l'intérieur, se refermer sur eux-mêmes, elles flétrissent de peur, se transforment en billes lourdes et tombent une à une au sol, sans bruit.

Moïse se lève et se tient dans le rectangle étiré de lumière. Il referme ses doigts autour d'un pistolet imaginaire, pointe son index sur sa tempe et dit *Pan*.

Moïse

Le policier me prend par le bras droit, le pompier par le gauche et ils me soulèvent comme si je n'étais rien qu'un bout de bois sec et vide à l'intérieur. Quand mes pieds quittent le sol, ils s'arrêtent une microseconde et se regardent avec étonnement comme s'ils s'attendaient à autre chose, que je sois plus lourd, que je proteste, je ne sais pas.

J'ai envie de demander au policier si je peux récupérer mon sac mais son visage est rouge et il transpire à grosses gouttes. Sa chemise est trempée et, par à-coups, son odeur sucrée et âcre me vient au nez. Le pompier, en uniforme, se met au volant mais, avant de démarrer, il me regarde par le rétroviseur. Son regard est si doux que cela m'est insupportable. Je baisse les yeux.

— Moïse ?

— Oui.

— On t'emmène voir le juge mais tu ne sors pas de la voiture avant d'arriver au tribunal.

Même sur la barge, on reste dans la voiture, tu as compris ? Sinon je te mets les menottes.

— Ils me cherchent, n'est-ce pas ?

Le policier ne me répond pas, se contente de donner un coup du plat de la main sur le siège conducteur. Le pompier démarre à fond.

Dans la voiture tout-terrain rouge, je fais comme j'ai fait tant de fois à Gaza. M'asseoir les genoux bien serrés, les mains entre les cuisses, rentrer la tête dans les épaules, regarder mes pieds. Prendre de longues inspirations, les retenir le plus longtemps possible, expirer lentement. Se faire petit, aussi petit qu'un caillou inutile.

J'aime à penser que, si je regardais dehors, je verrais les mêmes choses qu'avant, quand je vivais en Petite-Terre avec Marie et Bosco. La perspective presque parfaite sur l'aéroport à gauche, juste après le club de judo, les beaux trottoirs bien alignés, cette route qui semble toujours goudronnée de frais, noire et lisse, la pluie de tissus de toutes les couleurs accrochés à la véranda du petit commerce en tôle, l'odeur de frites du Maoré Burger, la pelouse sèche et rase avant l'aérogare, les palmiers au vent, les avions blanc et bleu contre l'horizon. J'apercevrais peut-être le camion pizza à côté de la poste avec sa promotion permanente « Quatre pizzas achetées, une offerte », les bougainvillées touffues à l'entrée du restaurant chinois et les bwenis allongées à côté de leurs palettes de tomates et de bananes. J'aime à penser que j'apercevrais une dernière fois mon ami Moussa, revenant du lycée, impatient d'écouter les mgodro et de bouger ses fesses. À l'Abattoir, il y aurait toujours ces vieux bacocos* dans les angles morts des virages qui ne parlent pas un mot de français et qui vendent des fleurs de jasmin, un euro le tas. Dans la petite baie à côté du débarcadère des pêcheurs, c'est sûr, il y aurait des enfants et, sur le parking, les pêcheurs seraient là à repousser avec des bouts de carton les mouches de leurs trésors de pêche : capitaines, perroquets, bonites, thons blancs.

Quand la voiture a accéléré sur le boulevard des Crabes, j'ai imaginé le vent sur mon visage, la mer des deux côtés de la route qui serait bleue et verte et qui viendrait battre le cœur noir des pierres.

À cette heure de l'après-midi, il y a certainement déjà la fumée bleue des grillades et les dizaines de taxis sur le parking du débarcadère. Au loin, si j'avais pu regarder dehors, j'aurais vu la barge s'approcher. J'aurais alors attendu en comptant, comme Marie, à l'intérieur de sa main, sur la chair épaisse de ses phalanges, les secondes qui s'écouleraient avant d'entendre la sirène du bateau, 1 2 3 auriculaire, 4 5 6 annulaire...

Sur la barge, Olivier, le policier, me dit de garder la tête baissée et cela ne me dérange pas. Je perçois le bourdonnement du moteur de l'embarcation sous mes pieds et le ressac des vagues. J'imagine sous l'eau, au fond, les sillons invisibles que tracent les dugongs et les cœlacanthes et, plus bas encore, ces animaux aux grandes gueules et aux dents en forme de griffes qui ne vivent que dans le noir de l'océan. Dans ce bercement agréable, j'ai cessé de penser à Bruce, à Marie, à Bosco, à la maison. J'ai pensé à un garçon né il y a quinze ans sur une île des Comores et qui aurait pu avoir une autre vie s'il était né avec deux yeux noirs. Je me suis demandé ce qu'il aurait pu faire ce gamin-là pour briser ses chaînes, pour contourner son chemin commencé dans la violence, l'ignorance et le dégoût. Je me suis demandé si, en réalité, il n'était pas foutu d'avance, ce garçon-là, et, avec lui, tous les garçons et les filles nés comme lui, au mauvais endroit, au mauvais moment.

J'ai pensé à ces longues minutes passées à nager dans la baie de Bandrakouni, à l'eau veloutée qui m'avait pris dans ses bras doucement, doucement. J'aurais peut-être dû continuer à nager ce jour-là, lancer les bras et les jambes comme je sais encore le faire, nager encore et encore jusqu'à retrouver une terre qui accueillerait un garçon comme moi.

La sirène retentit à l'approche de la baie de Mamoudzou et la barge accoste. Le pompier redémarre et, lentement, la voiture descend la passerelle grinçante, puis remonte l'embarcadère. Olivier me dit *C'est bien, garde la tête baissée*. Je le regarde en biais, il a l'air inquiet mais il me sourit et chuchote *Tout va bien Moïse*. Il fait alors ce geste-là, il tend son bras vers moi et sa main vient recouvrir la partie de mon visage qui est balafrée. Sa peau est fraîche sur ma cicatrice et celle-ci ne tire plus, celle-ci n'existe même plus en cet instant et je voudrais qu'il laisse encore un peu sa main sur mon visage, rien qu'un peu. La voiture continue d'avancer dans la file de véhicules, elle roule sur le chemin de latérite, elle longe le marché, bientôt elle va croiser la route principale. À droite c'est Gaza, à gauche c'est le tribunal, puis Passamainti, Dembeni, Bandrele, Kani Keli et, pendant tout ce temps, Olivier a gardé sa main, peut-être que j'appuie légèrement ma tête contre sa paume comme Bosco faisait quand il cherchait à prolonger une caresse mais, tout à coup, il inspire bruyamment, retire sa main de mon visage et dit *Putain c'est quoi ce bordel*, et moi je sais.

Je n'ai plus la tête baissée. Je regarde dehors parce qu'à l'instant où tout doit finir on n'a pas d'autre choix. Ce que je vois est irréel et dans son irréalité, dans sa lenteur, sa profondeur et sa noirceur, ça devient magnifique.

À ma droite, la mangrove semble bouger, trembler, se mouvoir. Des palétuviers aux feuilles vertes et des branches enchevêtrées dans ce sable-terre-mer sortent des dizaines d'enfants. Ils ne courent pas, ils ne se pressent pas, ils sont comme au ralenti. Ils sont vêtus de shorts et de tee-shirts, leurs jambes sont couleur cendre, leurs bouches sont fermées mais leurs mains tiennent des bâtons. Le long de la route qui mène à Gaza, des barriques roulent vers nous en grondant et derrière chaque barrique il y a des enfants et des jeunes hommes. En face de nous, d'autres enfants attendent, dans les crevasses de la colline rouge. À gauche, descendant de la place Mariage et des marches de l'immeuble administratif où flotte un drapeau bleu blanc rouge, des jeunes torses nus avancent vers nous. Ils ont des machettes à la main et, eux aussi, marchent lentement.

Il y a ce court moment de silence où, dans la lumière jaune de l'après-midi, seuls bougent la mangrove, la terre, la colline et les enfants de Mayotte.

Les véhicules commencent à klaxonner, certains veulent sortir de la file, d'autres veulent reculer, Olivier et le pompier se mettent à crier dans leurs téléphones. Leurs mots sont hachés quand ils parviennent à mes oreilles *renforts, jeunes, Gaza, émeutes, la guerre* et je les comprends à moitié seulement, ces mots-là. Je suis hors de mon corps, je suis dans la voiture mais je suis aussi dehors, je ne sais pas si c'est la peur qui fait ça ou si c'est la folie qui reprend possession de moi.

Bientôt, cette nasse mouvante qui nous entoure se met à ouvrir la bouche et de cette bouche géante ne sort qu'un seul son, une seule syllabe. MO ! Et les bâtons frappent le sol. MO ! Et les machettes fendent l'air. MO ! Et les enfants agitent leurs poings fermés sur des pierres. MO ! La nasse s'étend comme une pieuvre gigantesque autour de nous. MO !

Je ne sais pas ce qui me prend, c'est comme un désir grand comme la mer de ne pas me laisser faire, de ne pas les suivre, de ne pas courber cette fois-ci et tandis que l'odeur âcre et sucrée d'Olivier remplit l'habitacle, pendant que le pompier sort une batte de sous son siège, je bondis hors de la voiture. J'entends la voix d'Olivier qui hurle *Moïse* mais je ne me retourne pas. Je cours vers la mer. Derrière moi, la mangrove, la colline et toute la route qui mène à Gaza éclatent en même temps avec un fracas monumental.

MO ! crient-ils tous.

Je ne m'arrête pas, ce soir c'est la guerre, ce soir c'est le festin des loups et personne ne pourra me protéger de cette meute. Je zigzague entre les voitures, je vois des visages ébahis derrière les vitres, des gens qui se sont tapis entre les rochers mais je ne m'arrête pas, je cours vers la mer qui m'a amené ici. Je n'ai pas peur tandis que mes pieds frappent la terre, que je sens le vent salé et chaud me fouetter le visage, que j'entends la fureur derrière moi, non ce n'est pas comme avant quand tout se ratatinait en moi, quand je ne savais plus qui j'étais ni comment je m'appelais. Non, tandis que je rejoins l'océan, je n'ai plus peur.

Je m'appelle Moïse, j'ai quinze ans et je suis vivant.

Je vois l'embarcadère et j'accélère, je suis poussé par le souffle de chacal de la meute, par cette vie de merde que je veux laver, je pense à

Marie, je pense à Bosco et à Gatzo et à Pascalet et il me semble qu'ils sont là, à courir avec moi, à m'encourager, à me porter. Je sens le sol changer, ce n'est plus la terre mais le dur du ciment de l'embarcadère sous mes pieds. Je ne vois pas les autres, je ne crains plus ces autres-là, armés de coupe-coupe, de gourdins et de pierres. J'arrive bientôt à la fin mais je n'ai pas peur, ce bleu magnifique, brillant, ce bleu qui peut-être n'existe qu'ici dans cet océan, m'appelle. Sans ralentir, je fais alors comme tous les enfants de Mayotte au moins une fois dans leur vie, je fais décoller mon corps au bout de l'embarcadère, ma poitrine se bombe, mes jambes et mes bras se soulèvent. Je plonge dans la rade de Mamoudzou, je fends l'océan de mon corps souple, mon corps vivant, et je ne remonte pas.

GLOSSAIRE

Bacoco	Vieil homme.
Banga	Case en tôle réservée aux adolescents.
Bweni	Femme.
Cadi	Juge musulman.
Caribou	Bienvenue.
Kofia	Bonnet comorien brodé.
Mognye	Monsieur.
Mourengué	Combat ancestral à mains nues.
Muzungu	Étranger.
PAF	Police aux frontières.
Sousou	Prostituée.

REMERCIEMENTS

Ce roman n'aurait pas existé sans l'aide précieuse et l'amitié d'Emmanuel Baffour et d'Olivier Neis.

Merci à ceux qui m'ont accompagnée et raconté avec sincérité leur île et leur quotidien : Magnélé, Bacar, Moussa, Chebani, Chamsidine, Scott et tous les adolescents qui n'ont pas souhaité être identifiés.

Merci également à Éléonore Baffour, Marie Colamarino, Philippe Demanet, Guy Goffette, Laurence Mayerfeld, Maud Simonnot et Anne Sorensen.

DU MÊME AUTEUR

Aux Éditions Gallimard

LES ROCHERS DE POUDRE D'OR, 2003. Prix RFO du livre 2003, prix Rosine Perrier 2004 (Folio nº 4338)

BLUE BAY PALACE, 2004. Grand Prix littéraire des océans Indien et Pacifique 2004 (Folio nº 5865)

LA NOCE D'ANNA, 2005. Prix Grand Public du Salon du livre 2006 (Folio nº 4907)

EN ATTENDANT DEMAIN, 2015, prix Mille et une feuilles 2015 (Folio nº 6166)

TROPIQUE DE LA VIOLENCE, 2016. Prix du Roman France Télévisions 2017, prix Anna de Noailles de l'Académie française 2017, prix Femina des lycéens 2016, prix du Roman métis des lecteurs de la ville de Saint-Denis 2017, prix du Roman métis des lycéens 2017, prix Jean Amila-Meckert 2017, prix Charles Brisset 2017, prix littéraire de la Ville de Caen 2017, prix des Lecteurs Escale du livre 2017, prix des Lycéens Escale du livre 2017, prix du Roman de la médiathèque d'Arcueil 2017, prix Paul Bouteiller de l'Académie des Sciences d'Outre-Mer 2017, prix Patrimoines de la banque BPE/Banque Postale 2016 (Folio nº 6481)

PETIT ÉLOGE DES FANTÔMES, 2016 (Folio 2 euros nº 6179)

Aux Éditions de l'Olivier

LE DERNIER FRÈRE, 2007. Prix du Roman Fnac 2007, prix des lecteurs de *L'Express* 2008, prix Culture et Bibliothèques pour tous 2008, prix de la Fondation France-Israël 2011 (Points nº 1977)

Composition CMB/PCA
Achevé d'imprimer par Novoprint
à Barcelone, le 7 janvier 2020
Dépôt légal : janvier 2020
1er dépôt légal dans la collection : mars 2018

ISBN 978-2-07-276457-8./Imprimé en Espagne.